Fotograferna och det Svenska Landskapet

LEIF WIGH

FOTOGRAFISKA MUSEET – FYRA FÖRLÄGGARE AB

TILL KERSTIN

2

FÖRORD

En sensommareftermiddag promenerade Gerry Johansson och jag på Skeppsholmen i Stockholm. Vårt samtalsämne, intensivt avhandlat, var landskapsfotografi och hur den utförs av amerikanska fotografer till skillnad mot av svenska.

En tid senare föreslog Gerry Johansson och Jan Olsheden att jag skulle skriva en text i ämnet — landskapsfotografi — och illustrera den med bilder ur Fotografiska Museets samlingar. Nu är visserligen inte växtligheten i naturen min starka sida men tanken på fotograferna och det svenska landskapet var alltför frestande för att avslås.

Efter genomgång och studier av tidskrifter och ämnesrelaterade böcker fann jag, inte helt oväntat, en diskrepans mellan natur- och landskapsfotografier. Naturbilderna, som är åstadkomna av en stor grupp fotografer, skildrar älgar och rådjur i motljus, den nedgående solens strålar speglande sig i den mörka skogstjärnen eller unika fåglars flykt mot söderns ljus.

Landskapsfotografierna däremot är utförda av en mindre men mer kvalitetsmedveten grupp fotografer. De senare beskriver i bild landskapets former och sina egna, oftast mycket sinnliga, upplevelser av det svenska landskapet. Det är om denna grupp fotografer som denna översikt handlar och avsikten är också att belysa landskapsfotograferandets framväxt i vårt land.

Mot dessa två teman ställs avslutningsvis verk av några utländska fotografer som jag upplever dem. Dock utan att deras bilder återges i sammanhanget. Den intresserade kan istället finna dessa bilder med hjälp av den bibliografi som finns i bokens slutkapitel.

Förhoppningsvis kan de fotografier, boken omfattar, inspirera till nappatag med landskapet för att avlocka det dess hemligheter.

Det svenska landskapet är föränderligt, inte minst i våra dagar då skogsmossan ersatts av tomma ölburkar. Det förändras även genom ljusets och skuggornas inverkan och genom årstidernas växlingar. Det svenska landskapet är en utmaning!

Ett hjärtligt tack till fil mag Maj Linnea Persson och fru Birgitta Norder samt intendent Åke Sidwall för varmhjärtat stöd och vänliga synpunkter under arbetets gång.

Leif Wigh

3

INTRODUKTION

Den svenska natur- och landskapsfotografin fick sin egentliga start under 1880-talet. Ett decennium präglat av missväxt och utvandring — en tid då det gamla bondesamhället omvandlades till en industrination med bildande av fackföreningar, politiska förbund och nykterhetsloger.

Mitt i denna förändringens tid växte ett nytt fotograferande fram präglat av intresserade amatörer. 1880-talets fotografi skiljde sig markant från den fotografi som föregått den sedan 1850-talet. Anledningen var av teknisk natur och den stora nyheten var det nya negativet. Ett negativ som man själv slapp preparera innan fotograferandet vidtog.

Bromsilvergelatinnegativet, eller torrplåten som den vanligtvis kallades, förändrade i hast synen på fotografi. Negativmetoden offentliggjordes av L. R. Maddox 1871 och blev efter smärre förändringar startskottet till ett ökat naturfotograferande.

Den äldre negativmetoden, det s. k. våtplåtsförfarandet, krävde preparering på platsen för fotograferandet innan själva exponeringen utfördes. Negativet skulle därefter omedelbart framkallas.

Torrplåten, som undanträngde den äldre metoden, lockade till sig många nybörjare som tog den nyförvärvade kameran och negativkassetten med sig på söndagspromenaderna. Det var i första hand amatörfotograferna som kom att bruka det nya negativet. Det var en fotografgrupp som på allvar började göra sig gällande under 1880-talet. Deras intresse för fotografi och natur fick stöd i föreningsväsendet och i det ökade intresset för fosterlandet.

1888 slog sig en grupp "fotografidilettanter" samman och bildade Fotografiska Föreningen som genast fick stor betydelse för spridandet av kunskapen om fotografin i Sverige.

Även Svenska Turistföreningen, grundad 1885, anordnade tävlingar om den bästa fotografiska bilden av naturen ofta i samarbete med Fotografiska Föreningen. Till de båda föreningarna slöt sig också Centralföreningen för Idrottens Främjande som förutom aktiva insatser för friluftslivet arrangerade fotografitävlingar.

1880-talet, med sina sociala omvälvningar, såg det stora fotografiintresset växa fram jämsides med det ökade intresset för Sverige. Vid samma tid växte inom konsten fram det som kom att kallas för friluftsmåleriet där den s. k. Varbergsskolan firade triumfer.

Den snabba tekniska utvecklingen inom det fotografiska området parat med det ökade föreningslivet och det något storvulna fosterlandsintresset var grunden för den svenska landskapsfotografin. Intresset höll i sig fram till sekelskiftet då nya trender förändrade motivvalet.

Men efter första världskriget steg återigen intresset för naturfotografi bland amatörerna men kanske framförallt bland yrkesfotograferna där Carl Fries och Carl Gustaf Rosenberg banade nya vägar i den fotografiska undervegetationen. De presterade dokumentära fotografier med nysakliga inslag och deras konkreta fotografier ställde de invanda bildbegreppen på huvudet. De båda fotograferna färdades land och rike kring, ingen landsända var dem för avlägsen. De inventerade Sverige: Fries fingranskade naturen och djurlivet, Rosenberg registrerade sakligt och metodiskt de mångskiftande landskapen.

Under 1940-talets krigsår blev fotografierna mer romantiska än sakliga. Tidens bilder, präglade av en osäker framtid, blev banalare. Landskapet blev mer en fonddekor än det grundelement det varit i Fries och Rosenbergs fotografier. Nationalromantikens främsta hjälpmedel blev objektivfiltret som åstadkom excessiva effekter allt enligt tidens modekrav.

Filtren kontrasterade de ljusa molnen mot den blå himmelen. Lövträdens grönska lättades upp med grönfiltren. Landskapet framställdes som om det enbart vore en pastoral idyll — fjärran vardagens bistra realiteter.

En av de fotografer som förstod att balansera sina fotografier och undvika det alltför glättade var Lennart af Petersens. Han undvek det negativa elementet i nationalromantikens bildspråk och byggde i stället vidare på Fries och Rosenbergs intentioner. Hans förhållningssätt till fotografi utvecklades från naturstudierna även till att omfatta stadens former och arkitektur. Inom den genren blev han landets mest framstående fotograf.

Landskapet som inspirerat så många fotografer under 1890-talet och under 1940-talet tycktes åren omkring 1950 ha spelat ut sin roll som motivområde. Skälet var att en ny fotografgeneration fostrats under kriget och åren därefter. De var inspirerade av den internationella bildjournalistiken och genomskådade vardagslyckan i de nationalromantiska fotografierna. De tyckte att landskapet var en förljugen idyll.

Den fotografgeneration som 1949 lanserade en ny bildsyn ville ut i världen och uppleva ''den nya människan''. För dem fanns det tusen gånger mer poesi i en torftig bakgårdsexteriör än i beteshagen i ett normalsvenskt landskap.

Hans Hammarskiöld, som just tillhörde den nya bildsynens generation, framvisade dock vegetationen i en samling poetiska fotografier av tidlös karaktär. Ulf Sjöstedt kom tiotalet år senare med en kollektion friska, personligt hållna bilder med surrealistiska övertoner.

Trots detta så hade nog det svenska favoritmotivet kommit helt på undantag om inte Sune Jonsson tagit ett generalgrepp på det. I en rad unika böcker har Sune Jonsson skildrat det svenska kulturlandskapet i ord och bild. Han har som få andra, genom sin lyriska språkbehandling, lyckats sammansmälta sina skildringar till mästerverk i en tradition som en gång i tiden hade Carl von Linné som startman. Sune Jonssons personliga uttrycksmedel i form av bild och ord bygger även vidare på den sakliga fotografi som Fries, Rosenberg och af Petersens yxat fram. Dessutom har han fångat några av de stora amerikanska dokumentärfotografernas särdrag och omsatt dem till sitt eget språk. Sune Jonsson är den senaste länken i utvecklingskedjan i en stark svensk fotografitradition.

1840–1880.
Målarna dominerar landskapet

Att vara fotograf under förra seklet var liktydigt med att vara porträttör. Få svenska fotografer kom på idén att i bild skildra landskapet och naturen. Målarna däremot, som inte i samma utsträckning längre kunde livnära sig på att måla porträtt, förstod dock att använda kameran på annat sätt än fotograferna. De använde kameran som ett mekaniskt skissblock för att skapa förlagor till sina målningar.

De första fotografiska metoderna, daguerreotypin som offentliggjordes 1839, och kalotypin året därpå, användes inte för studier i landskapet. Men när engelsmannen Frederick Scott Archer 1851 presenterade sin negativmetod, våtkollodium på glas, blev intresset ett annat.

I Rom, dit svenska konstnärer vallfärdat redan under 1840-talet, blev våtkollodiummetoden uppmärksammad av bland andra målaren Egron Lundgren. I staden fanns vid den tiden flera skickliga fotografer bland dem märktes Gioacchino Altobelli, bröderna Alinari, Giorgio Sommer och många andra. De fotograferade Roms minnesmärken och arkitektur samt landskapet med dess ruiner utanför stadsportarna. Bilderna väckte stor beundran bland de skandinaviska målarna.

Landskapet som motivområde slog dock inte igenom hos de svenska målarna förrän de upprättat ett nytt konstcentrum. Den nya medelpunkten blev Düsseldorf. Där flockades nu de svenska konstnärerna bland sina nordiska bröder. Det var där de lärde sig att måla av landskapet i det fjärran Sverige!

Under Düsseldorfepoken framträdde en för svensk fotografi mycket betydelsefull person. Det var C.G.V. Carleman, utbildad jurist och studerande vid Konstakademin. Han hade redan under 1840-talet lärt sig att framställa daguerreotyper. Han utvecklade själv senareolika fotografiska utensilier som kameraobjektiv och blixtljuspatroner. C.G.V. Carleman var en av de första stationära fotografiska yrkesutövarna i Stockholm och övertog daguerreotypisten J.W. Bergströms ateljé.

Carleman hade på akademin blivit god vän med flera konstnärer som senare skulle komma att inräknas i den svenska konsthistorien. En av dessa var Marcus Larsson, den kanske mest kände svenske exponenten av Düsseldorfskolans idéer. Carleman och Larsson korresponderade om möjligheten för den förstnämnde att resa till Düsseldorf. I ett brev, skrivet av Marcus Larsson våren 1853, råder han Carleman att ej visa naturstudierna han gjort med kameran när han kommer till Düsseldorf, ty det kunde skada. Av det i fotografihistoriska sammanhang flitigt citerade brevet framgår att det inte var riktigt fint att framställa fotografiska förlagor till målningarna!

Intressant är ju också att C.G.V. Carleman framställde fotografier av naturen. Troligen var de flesta av dem studier av omkullfallna träd, stubbar och märkligt formade stenblock.

Men Carleman var inte den förste som blickade ut över landskapet på kamerans visirskiva. Redan J.W. Bergström hade i en vacker daguerreotyp förevigat naturen i sin trädgård en solig vinterdag. Denna tidiga fotografiska naturbild ingår nu i professor Helmer Bäckströms fotografihistoriska samling i Fotografiska Museet.

J.W. Bergström arbetade som daguerreotypist i tiotalet år innan han sålde sin rörelse till Carleman. Denne i sin tur verkade ungefärligen lika lång tid som fotograf, innan han själv 1864 sålde företaget vidare. Carleman, som hade utfört fotografier i visit- och kabinettkortsformat, fick uppleva konjunkturnedgång för yrket. Orsaken till denna nedgång var den stora överetableringen inom fotografyrket under 1860-talets första hälft.

Han var senare verksam som artist/målare och uppfinnare av trycktekniska reproduktionsmetoder och kom därefter återigen i kontakt med fotografiyrket, men då som uppfinnare. Bergström som också var mångsysslare och framgångsrik uppfinnare har tillsammans med Carleman erövrat långt framskjutna platser i den svenska fotografins historia.

Samtliga Carlemans vänner i Düsseldorfskolan

utnyttjade troligen fotografier som förlagor till sina målningar. Men de var ju inte intresserade av fotografi som fotografi. Nej fotografi var för dem något sekundärt. Något som var underlägset måleriet. Det var bara ett studiematerial och ingenting som emanerade från en skapande konstnär.

Carlemans egna naturstudier åstadkoms säkerligen av "artisten" Carleman, inte av fotografen. Det var målaren, konstnären Carleman som fann det motiverat att fotografera landskapet och att ägna sig med kameran åt naturen.

Samtida med Carleman var konstnären Alfred Wahlberg som också hade studerat i Düsseldorf. Wahlberg, som var farfar till fotografen Arne Wahlberg, blev den siste svenske representanten för stilen. Han hade skördat stora framgångar i genren under 1860-talet, men upplevde senare under samma decennium att stilen stagnerat och blivit lika sockersöt som Romskolan en gång varit. Alfred Wahlberg reste därför till Paris för att studera vidare och kom där i kontakt med nya konstnärsgrupper. Med honom kom sedan det svenska friluftsmåleriet att utvecklas. Där sökte man landskapets sanning och verkliga stämning till skillnad mot den falska, romantiska och konstlade verklighetsbild som förespråkats av de tidigare konstriktningarna.

Friluftsmåleriet påverkade under 1880-talet den svenska landskapsfotografi som samtidigt växte fram. Den sökte också sanningen i naturen och många fotografier gavs under den epoken en nästan dokumentär prägel i utförandet.

Carl Larsson, som också var samtida med Carleman och som för övrigt målat dennes porträtt, kom under sin studietid i kontakt med fotografin. Han erbjöds genom en lärares försorg, plats hos de tyskfödda fotografbröderna Roesler på Drottninggatan i Stockholm. Carl Larsson arbetade som retuschör under en tid och lärde sig fotografins grunder vilket kom väl till pass eftersom även han utnyttjade fotografier som förlagor till sina målningar.

Carl Larsson hade en studiekamrat på Konstakademin, en ung hallänning vid namn Severin Nilson. Denne kom att bli en skicklig målare men också framstående landskaps- och dokumentärfotograf.

Severin Nilson lärde sig fotografera under studieåren i Paris. Det var hans lärare målaren Léon Bonnat som inspirerade honom. Troligen praktiserade de båda målarna då, under 1870-talet Frederick Scott Archers våtkollodiummetod. Senare under 1880-talet övergick Severin Nilson till bromsilveremulsionen.

Efter studieåren sökte sig Severin Nilson till Halland och det var framförallt där han fotograferade landskapet. Han sökte sig gärna till sin födelseby Asige och skildrade livet och arbetet på gårdarna.

Inspirationen till det dokumentära fotograferandet av livet i byn och trakten runt omkring, kom från Arthur Hazelius. 1872 hade Hazelius grundat Skandinaviska-etnografiska samlingen, som 1880 namnändrades till Nordiska Museet. Hazelius' brinnande intresse för svensk historia, folkliv och sedvänjor inspirerade målaren och fotografen Severin Nilson. Hazelius arbete kulminerade i Skansen, Stockholms stora friluftsmuseum. Hans stora fosterlandsintresse delades av de övre samhällsgrupperna och av konstnärerna som uttryckte sina känslor i det nationalromantiska måleriet. Kamerans roll som skissblock grundlades under de åren. Det skulle komma att dröja flera år innan fotograferna kunde frigöra den för sina egna syften.

1880-talet och amatörfotografin

Under 1880-talet trängde bromsilvergelatinnegativet ut den äldre våtkollodiummetoden ur marknaden. Det blev med ens oerhört mycket lättare att fotografera eftersom man inte längre behövde preparera negativet omedelbart före exponering och framkallning. Bromsilvergelatinnegativet, eller torrplåten, om man så hellre vill, kunde förvaras en tid. Den behövde inte framkallas med en gång. Man kunde ha den med sig i sin kassett vid naturpromenaderna. Följden av den nya metodens enkelhet blev att amatörfotografernas krets ökade markant.

C.G.V. Carleman kommenterade utvecklingen: ''Yrkesfotograferna, i allmänhet konservativa, tvekade länge att utbyta den säkra och invanda kolloii-metoden mot de mystiska gelatintorrplåtarne, och det var först sedan Swan samt Wratten & Wainright, 1879 och 1880, infört sina plåtar i handeln som bromsilfvergelatin-emulsionsmetoden vann allmänt insteg i fotografiateliererna.''

Carleman som också var fotografihistoriskt bevandrad skrev artiklar i ämnet. I sin *Vägledning i Fotografi*, nämner han bland annat att amatörfotograferna har tilltagit sedan den nya negativmetoden ''kom i allmänt begagnande''.

Torrplåten tillskyndade amatörfotografins tillväxt och ett mycket viktigt skede inleddes 1888 då Svenska Fotografi-amatör-föreningen bildades. Förening namnändrades efter stadgeändring till Fotografiska Föreningen. Den kom redan under de första verksamhetsåren att vara av avgörande betydelse för den bildmässiga utvecklingen inom den svenska fotografin.

Föreningen hade flera skickliga konstnärer bland medlemmarna som t. ex. ''artisterna'' Severin Nilson, Gottfrid Kallstenius, Gillis Hafström, Georg Pauli och bildhuggaren Sven Scholander. Det är därför inte förvånande att de vid den tiden så berömda konstnärerna dominerade motivvalet och kompositionstänkandet bland föreningens ledamöter.

Men bromsilvergelatinnegativet drog allt fler fotografiska intressenter till föreningen. Och intresset för landskapet som motivområde stod hela tiden i centrum för amatörfotograferna. Denna inriktning kulminerade 1894 i den då dittills största offentliga fotografiutställningen. Den hölls i Industripalatset vid Karlavägen i Stockholm. Palatset hade invigts året före, efter att i några år tjänat som cirkus- och nöjeslokal för stockholmarna.

De äldre fotografiutställningarna hade mer tjänat syftet som varumässor än bildexposéer. Där hade fotograferna gjort reklam för sina företag och bilderna hade spelat en underordnad roll. Framställningsproceduren som då ofta hade presenterats var viktigare än själva bildresultatet.

Utställningen 1894 i Industripalatset var däremot tillkommen för att spegla fotografiet och den bildmässiga utvecklingen.

Utställningen hade etthundrasextioen utställare varav sextiosju rubricerade sig som fotografer. Sjuttiosju utställare var amatörfotografer och den resterande gruppen visade fotografiska material och apparater av skilda slag.

Två av amatörfotograferna var kungligheter. Det var kronprinsessan Victoria, skicklig bildskapare och sedermera Sveriges drottning samt prins Eugen, målarprinsen som studerat konst i Paris. De båda kunglighetemas fotografier var typiska för både tiden och utställningen genom att de enbart speglade landskapet.

Victoria medverkade med inte mindre än etthundratrettiofem fotografier varav nittiotre stycken var utförda under resa i Egypten. Trettioen fotografier var tagna i Italien och de övriga var utförda vid Tullgarns slott i Södermanland. Victoria hade själv exponerat sina torrplåtar under resorna. De framkallades däremot av hovfotografen Gösta Florman som senare erhöll medalj för besväret. Florman hade i det avseendet följt Carlemans råd i en text som denne skrivit sex år tidigare. I texten framhöll Carleman det viktiga i att yrkesfotograferna uppmärksammade den nya marknad amatörfotograferna utgjorde: ''Nu deremot medtages endast det fotografiska instrumentet, med kassetten, som innehåller torrplåten, och den derpå tagna bilden kan framkallas när tid och omständigheter så tillåta. Man behöver icke ens *besvära sig sjelf dermed, ty den kan lemnas åt närmaste yrkesfotograf*, hvilken för en obetydlig afgift framkallar bilden.'' (min kurs.)

Man skilde på att fotografera och att själv framkalla och framställa fotografier från negativet. I stället så kunde man precis som Carleman beskrev lämna negativet till framkallning och själv koncentrera sig på bildskapandet.

Bland yrkesfotograferna fanns flera skickliga ateljé- och porträttfotografer. Bland dem märktes Nils Björsell som hade ateljé vid Regeringsgatan 18 i Stockholm. Björsell var en ung företagsam fotograf, med en patriarkalisk rondeur. Han lämnade ofta ateljén och gav sig ut på resor i akt och mening för att skildra landskapen i Sverige.

Vid Industriutställningen deltog han med flera skickligt tillkomna fotografier. Flera av dessa var landskapsvyer från hans sommarställe ute på Värmdö.

Tragiskt nog så avled Björsell redan i fyrtioårsåldern. Den bildkollektion som han lämnade efter sig och som i viss utsträckning återfinns i Fotografiska Museet vittnar om en skicklig bildskapare med en klar fotografisk blick.

Björsell var en av de främsta fotograferna under 1890-talet och hans tjugofyra nummer stora utställningskollektion, med underavdelningar, väckte berättigat uppseende. Hans kunskaper var bl. a. förvärvade hos den store franske fotografen Nadar, vars studio i Paris var sin tids förnämsta.

Utställningen 1894 i Industripalatset kan med gott fog antas ha stärkt intresset för fotografi och för avbildande av naturen. När de övre samhällsskikten fann att även kungligheterna åstadkom fotografiska bilder så kunde inget längre hejda dem från att själva bli kameraägare. Det stora nyvaknade intresset för fotografi hade emellertid två sidor. Haussen ledde till en ökad produktutveckling men också oturligt nog till en smakförsämring. Fotografierna blev därför till sitt innehåll, under det sena 1890-talet, mer söta och småborgerliga än tidigare. Ytligheten blev det mest framträdande draget!

Men mitt i kälkborgerligheten framträdde Oscar Halldin, en av svensk fotografis allra skickligaste utövare. Då en äventyrlig ung man som senare kom att bli en av de första svenska pressfotograferna. Halldins äventyrslusta förde honom ut på sällsamma uppdrag. Han deltog i två expeditioner till Spetsbergen. Han var också en av tre icke grekiske fotografer vid jubileumsolympiaden 1906 i Aten. Men dessförinnan hade han 1898 givit sig upp i luftballong för att ifrån ballongkorgen fotografera den vida utsikten över landskapet. Han hade med sig en stor kamera vars negativformat inte var mindre än 24×30 cm. Till utrustningen hörde en ordentlig uppsättning glasnegativ. Hängande ut ifrån korgkanten fotograferade han Stockholm och det intilliggande landskapet med sin otympliga utrustning. Ett riskfyllt bestyr som krävde både sinnesnärvaro och rejält tilltagen armstyrka.

Vid samma tid som Oscar Halldin uppmärksammades för sina bravader förändrades landskapsfotograferandet från de tidigare idealen mot ett förljuget idylliserande av naturen. Den fräschhet som kännetecknat landskapsbilderna under 1880-talet och det tidiga 1890-talet blev till ett sötsliskigt genrefotograferande med samma avarter som kännetecknat måleriets düsseldorfanda när den var som sämst. Så när 1800-talet övergick i det nya seklet fanns tre fotografiska riktningar. Oscar Halldin med några kolleger stod för fräscha bildalster ofta med naturen eller med ornitologi som motivområden. De stora nya amatörgrupperna stod för genrefotograferandet och åstadkom bilder av overkliga idyller, helt i småborgerlig anda. Den tredje riktningen tillhörde nyskaparna. De nyskapare som utvecklade ett nytt bildspråk vars ideal hämtats från kontinenten. Det var den riktningen som kom att bli tongivande under 1900-talets första tjugo år.

Den nya piktorialistiska stilen uppmanade till ett manuellt bearbetande av de enskilda fotografierna. Bilderna blev mer personliga men också mer mjuka och diffusa. Det var inte längre fråga om att avbilda landskapet skarpt och klart utan i stället skulle stämningen i det beskrivas med nästan måleriskt hållna fotografier. Upphovsmännen sneglade, nästan undergivet, mot sina målande kolleger och de impressionistiska resultat dessa visade fram vid sina årliga salonger och utställningar.

Piktorialismen — en oskarp verklighetsuppfattning

Vid sekelskiftet började lyhörda svenska fotografer uppsnappa signaler från kontinenten och England. Huvudmeddelandet i budskapet var att det inte längre ansågs modernt att utföra skarpa och tydliga fotografier. Naturen skulle inte längre dokumenteras utan tolkas. Bilderna skulle hållas i en mjuk tonskala. De skulle vara oskarpt softade, åstadkomna med ett mjuktecknande kameraobjektiv eller utförda i kol- eller pigmentförfarande.

Den pictorialistiska bildstilen var ursprungligen inspirerad av måleriets konstriktningar, pre-rafaelism och impressionism. Den förra hade varit modern i England vid seklets mitt och impressionismens tankar och färgvärld spred sig under 1800-talets sista decennier från Frankrike.

Fotografierna skulle se måleriska ut. Som etsningar eller gravyrer. De skulle svara mot en skönhetsvärld vars ideal var konstlade och ofotografiska. Trots detta utförde flera fotografer i genren lysande bilder och tolkade upplevelser i sina egna landskap, insiktsfullt, medvetet och känslosamt.

Företrädare för stilens utbredning i Sverige blev i första hand de bildintresserade fotograferna i Fotografiska Föreningen. Bland dem märktes John Hertzberg, senare docent vid Kungliga Tekniska Högskolan och sin tids skickligaste tekniker. Språkmannen Henry Goodwin och arkitekten Ture Sellman bidrog också båda till stilens fulländning.

John Hertzberg blev åren innan första världskriget sin egen företagare. Han övertog Nils Björsells ateljé och framställde där de då så vanliga fotografierna i visit- och kabinettkortsformaten. Hertzberg, som hade en grundlig utbildning förvärvad i Wien, Berlin och Paris, trivdes inte med det monotona ateljéarbetet utan längtade efter att helt få ägna sig åt tekniska spörsmål. Men när tiden tillät så dominerade hans konstnärliga anlag och han gav sig ut i landskapet för att fånga stämningar och motiv. Hos Hertzberg fanns också embryot till en skicklig målare. Han utförde på fritiden teckningar, akvareller och oljor i en teknik han förvärvat under studieåren i utlandet.

Arkitekten Ture Sellman var också influerad av de utländska strömningarna och framställde bilder i målerisk, softad stil. Sellman uppskattade landskapets former och tog sig ofta ledigt från sitt ägandes arkitektkontor för att i stället hänge sig åt landskapets arkitektur.

Filologen Henry Goodwin genomgick stormiga skeenden både i privatlivet och i sin fotografiska verksamhet. Han kom till Sverige för att föreläsa om nordiska språk vid Uppsala universitet. Men han blev i stället yrkesfotograf i Stockholm. Goodwin tolkade landskapet efter de ideal pictorialismen föreskrev. Han skildrade i några bilder det engelska landskapet men föredrog senare att fotografera naturen på Utö i Stockholms skärgård.

Piktorialismen var, trots det dåliga rykte den har, av stor betydelse för både yrkes- och amatörfotografin i Sverige. Den bidrog till att yrket under 1900-talets två första decennier fick en mer framskjuten kulturell plats än det tidigare haft. Den pictorialistiska epoken, konstnärstiden som professor Helmer Bäckström kallade den, frammanade det drömda fantasilandskapet. Ett landskap som inte fanns i sinnevärlden utan bakom bildskaparnas slutna ögonlock. De sökte stillheten i en försvunnen värld. En värld som gick i krasch med skotten i Sarajevo 1914. Piktorialisterna fjärmade sig från krigets och kristidens larm. De sökte ett landskap utan promenadstigar men öppet för tankeutflykter!

Modernismens intåg — mot en ny saklighet

Efterkrigstiden, 1920-talet såg en ny fotografi födas. En fotografi som verkade och fungerade utan att

10

målarna angav dess bildmässiga grundton. Kameran och fotografin upptäcktes till fullo under de åren. Med kameran kunde människan dokumenteras, arkitekturen kunde avbildas och man kunde dessutom utföra sakliga studier av små ting och föremål. De former som skapades inom konsten, skapades också helt självständigt inom fotografin av de nya fotograferna.

Dagspressen anställde fotografer och nyttjade dem också som frilanskrafter. Bilderna kunde efter de nya tryckeritekniska landvinningarna återges med rika valörer och mellantoner. Och en ny konstform tog sin början, tidningsbilden, skapad av fotograferna i samverkan med tidningsmännen.

Poeterna lovsjöng i sina dikter — maskinåldern — den nya tiden. Fotograferna skildrade den, genom att närma sig världen och med sina kameror söka avbilda maskinernas attraktiva delar. Växtligheten i landskapet som tidigare blivit till slutna ytor uppmärksammades nu. Albert Renger-Patzsch i Tyskland sökte skönheten hos växternas detaljer. Paul Strand i USA fotograferade fragment av maskinerna, sakligt, rent men med en djup poetisk och bildmässig känsla.

Henry Goodwin, som ofta reste i Europa, uppfattade troligen de nya tendenserna vid besök i sitt gamla hemland Tyskland. Hans fotografiska bildspråk fick under 1920-talet en mer framträdande klarhet i tekniken. Men han övergav för den skull inte helt sina forna piktorialistiska ideal.

Ture Sellman hade som fruktad kritiker alltid försvarat piktorialismens värden. Under 1920-talet gjorde han helt om och blev en av den nya stilens främsta förespråkare i Sverige. Goodwin var också hortikultör och han utnyttjade vid denna tid även kameran i studiet av växterna. Flera av hans fotografier av blommor påminner mycket starkt om Renger-Patzsch växtstudier. Av likheten framgår att bilderna var inspirerade i såväl teknik som formspråk av de fotografier som Renger-Patzsch publicerade i boken *Die Welt ist schön,* 1925.

Ture Sellman blev inte minst genom sin verksamhet som arkitekt klar över kamerans nya användningsområde. Detta utnyttjade han i studier av byggnader och arkitekturmodeller.

Trots Sellmans och Goodwins lyhördhet för de nya signalerna så lyckades de aldrig helt bli kvitt sin piktorialistiska period. Deras fotografier av senare datum har ett kvardröjande drag av målerisk slöja.

Under den piktorialistiska epoken arbetade Oscar Halldin oförtrutet vidare med sina realistiska fotografistudier av naturens växtlighet. Han var också intresserad av ornitologi och publicerade fotografier i ämnet i skilda tidskrifter. Hans storhetstid kom i och med den nya efterkrigsfotografin. Även om Halldin inte brukade det nysakliga bildspråket, så präglades hans fotografier av realism och klarhet. Oscar Halldin var alltid närvarande i nuet, såg alltid skeendet och upplevde tillvarons meningsfullhet. Hans bilder saknar inte djup även om de mer är illustrationer till livet än tolkningar av det.

Under 1920-talet fick Halldin fler funktionellt arbetande kolleger. Carl Fries och Carl Gustaf Rosenberg var två fotografer, vars konkreta natur- och landskapsstudier var piktorialismens diametrala motsatser. För varken i Fries eller i Rosenbergs fotografier finns tillstymmelse till mystisism eller piktorialistiska omtolkningar.

De hade båda två en distans till vad de upplevde. De avvisade inte det poetiska i naturen men såg nog, lik Oscar Halldin, fotografi mer som illustration än som uttryck för känslostämningar.

Halldin, Fries och Rosenberg har alla tre nogsamt undvikit att ramla i det pittoreska bildskapandets fälla. Nej, deras fotografier var funktionella och realistiska samt med en stor portion rationalism som grundelement.

Carl Fries och C.G. Rosenbergs vardagsnära och insiktsfulla fotografi var det pittoreskas motpol. Fries, som fortfarande publicerar skickligt framställda böcker, tolkade naturen från vetenskapsmannens horisont. Han var museiman vid Nordiska Museet och Skansen och kunde därigenom fördjupa och fullfölja sina intentioner.

Carl Gustaf Rosenberg började 1921 att fotografera för Svenska Turistföreningen. Han utvecklade där sitt speciella förhållningssätt till fotografi. Han fingranskade inte naturens gömmor som Fries gjorde. Snarare såg han i landskapet en form som han ville återge i bild. Arbetet för Svenska Turistföreningen bestod av att fotografera och inventera naturen, städerna och landskapen i Sverige. Han berättade själv i *Svenska Turistföreningens Årsskrift*, 1923 om hur han transporterade sig och sin utrustning: "Min cykel var en Rudge-Whitford halfracer med dubbelförstärkta ekrar — detta på grund av min tunga packning och de "lössandsvägar", som förekomma i övre Hälsingland. Denna packning jämte min egen vikt — tillsammans 120 kg — fortskaffades 300 mil."

Av citatet förstår man att Rosenberg var företagsam och orädd och av hans fotografier framgår att han var en av sin tids skickligaste bildskapare. Han var född i Paris av ett ungt svenskt konstnärspar från vilka han ärvt sin fina bildkänsla. Mycket mer är inte känt om Rosenberg. Få har sökt beskriva honom trots den kvantitativt rika bildskörd han lämnat efter sig.

Den nya sakligheten blev vid 1930-talets början märkbar över hela världen. Intressant är att stilen utvecklades av fotograferna i USA ovetande om att Europas bildskapare samtidigt plockat av de mjuktecknande kameraobjektiven och ersatt dem med skarptecknande linser.

Parallelliteten i skeendet uppmärksammades när utställningen "Film und Foto" 1929 arrangerades i Stuttgart. "Film und Foto" som på sätt och vis var en manifestation över den nya fotografin. I utställningen ingick bl. a. fotografier av amerikanerna Edward Weston och Imogen Cunningham. Båda hade var för sig utvecklat sin personliga version av den nya sakligheten, eller straight photography som den kallades i USA.

Weston och Cunningham tog själva initiativet till en liknande utställning 1932 i San Francisco, kallad "f/64". Namnet fick man från minsta bländaröppning och man ville därigenom framhäva att man sysslade med rak och ren fotografi utan förkonstling.

I Sverige började flera fotografer nyttja de nya greppen. En av den nya sakligheters främsta företrädare blev Arne Wahlberg, som hade finslipat och putsat sin stil i Tyskland.

Arne Wahlberg, sonson till målaren Alfred Wahlberg, hade studerat hos porträttfotograferna Franz Fiedler och Hugo Erfurth. Den senare hade själv varit en av Tysklands ledande piktorialister men föredrog att under 1920-talet bana sin egen väg med den nya sakligheten som ledstjärna. Arne Wahlberg hade ärvt sin farfars lidelse för landskapet som motivområde. Om Oscar Halldin och C.G. Rosenberg antytt öppningar mot en ny fotografi, så var det Arne Wahlberg som fullkomnade stilen genom djärva formexperiment. Visserligen var dessa i första hand knutna till hans ateljearbeten, men de var också klart förnimbara i landskapsstudierna.

Konfrontationen mellan piktorialismen och den nya sakligheten skedde starkast i de två utländska utställningarna. Även i Sverige konfronterades stilidealen i en utställning. Denna hölls 1934 i Liljevalchs konsthall på Djurgården i Stockholm. Kritikern Gotthard Johansson anmälde den: "Det är först när fotografikonsten avstått från pretentionerna att vara fri konst, som den blivit konst i verklig mening. (– – –) Den stora fotografiutställningen i Liljevalchs ger, avsiktligt eller icke, en överblick av den moderna fotografins utveckling från falska konstnärliga pretentioner till en saklighet, som skapat verkliga, ej blott fingerade konstnärliga värden, med ett ord en ny bildkonst."

De nysakliga fotograferna färdade på funktionalismens våg utan sidoblickar åt måleriet. Fotografi blev en självständig konstart med egna traditioner och med ett eget språk. Fotograferna hade kastat av sig storebrorskomplexet gentemot målarna och konstnärerna.

Fotograferna hade som bildskapare fått uppleva ett större egenvärde än de tidigare gjort. Dessutom var fotografi under samma tid mer än någonsin tidigare en fri och obunden konstart.

Pressfotograferna skördade lagrar och började i högre grad dominera yrket. De tog över makten från de gamla porträttfotograferna som också fick kämpa mot polyfoto och andra serietänkande lönsamhetsivrare.

Dokumentärfotograferna berättade i böcker och tidskrifter om världshändelserna och om fjärran belägna orter. Bilderna hade en ny spänningsfylld dramatik, medvetet framställd av den nya fotografgenerationen.

I Sverige var Karl Sandels syntesen av den unga mellankrigsgenerationen. Han var en rasande skicklig pressfotograf, uppfinningsrik, snabb och uppkäftig. Han sköt med sin kamera snabba höftskott, men drog sig inte heller för att klättra upp i Klocktornet på Stockholms stadion för att få den rätta, nysakliga översikten i bildvinkeln. Hans bilder förmedlade alltid en stark känsla av närhet. Dessutom var han den förste som medvetet utnyttjade diagonalen i sina bildkompositioner.

De nysakliga fotografernas bildstil hjälptes fram av nya kameramodeller som nådde den svenska marknaden. Leicakameran och Rolleiflexen bidrog med sina speciella sökare till att avgränsa motiven. Speciellt Rolleiflexen blev nysaklighetens kamera framför andra. Den låga bildvinkeln som erhölls genom att sökarschaktet var placerat på kamerans ovansida, resulterade i nya spännande och dramatiska perspektiv på motiven.

Den nya sakligheten blev framemot andra världskrigets krigsår till ett rutinmässigt bildspråk. Vinklarna var uttömda. Dramatiken blev till för sin egen skull. Stilen deklinerade.

Bland amatörfotograferna fanns som tidigare dock ett utbrett intresse för naturen och landskapet.

Det var framförallt hos den gruppen som krigsårens fotografi utvecklades.

Nationalromantiken — fotografi som försvarsvapen

Tyskland som varit en av de ledande nationerna i konstnärlig utveckling sedan första världskriget, drabbades av naziregimens konstideal under det tidiga 1930-talet. Adolf Hitler skrev ett förord i den tyska fotografiska årsboken *Das Deutsche Lichtbild*, 1934 och angav där tonen för det tusenåriga rikets inställning till fotografi. Den synen var, som allt fascistiskt kulturtänkande, ett slag i ansiktet på de fotografiska bildskaparna och många tvingades därför lämna landet.

Tyskland förvandlades från att ha varit, åtminstone till namnet, en hygglig demokrati till en polisiär diktaturstat. Som i andra diktaturer så urvattnades konsten genom att konstnärerna tvingades till tystnad. Under tiden steg fotograferna med brun partibok fram, de som representerade den sanna ariska konsten.

Sverige som tidigare alltid fått kulturella impulser från Tyskland upptäckte nog inte att det var något skumt på gång. Det var ju storslaget att den nya regimen ville få ordning på sitt fosterland som så hårt drabbats under första världskriget. Det var väl bra att man byggde nya landsvägar, autostrador, så att det tyska folket fick arbete. Och inte kunde ett land som fostrat konstnärer som Beethoven eller Goethe, tvinga konstnärer och andra samhällsgrupper till underkastelse!

Den fotografi som kom efter 1933 byggde bildmässigt på nysakliga ideal men till innehållet var den svulstig och chauvinistisk. Bilderna var fadda och banala. Självklart inspirerades svenska fotografer av den nya given från Tyskland. Det var ju inte alls egendomligt med tanke på den fotografiska produktutveckling som där också förekom.

Landskapet som kommit lite i skymundan under nysakligheten blev under krigsåren ett av de mest uppskattade fotografimotiven. Fotograferna tog tag i det specifikt svenska — naturen och de blonda invånarna. Den svenska naturen var något vi var ensamma om. Något som ingen annan nation kunde stoltsera med. Björkarna avfotograferades, där de stod med sina hängen mot den evigt blå himmelen. Skånes pilar liknade i bild — paraderande soldater. Rågfälten påminde om den svenska kvinnans blonda hy och hårsvall.

Det andliga fotografiförsvaret bjöd på en knäckebrödskäck friskhet som skulle mana fram den rätta motståndsandan. Fotoklubbarnas tävlingar resulterade i en hurtig golfbyxklädd syn på den svenska verkligheten.

Den nya sakligheten präglades av Rolleiflexkameran. National romantiken däremot formades av filtren. Av gula, gröna samt ibland orangefärgade filter som applicerades på objektivens frontlinser. Filtren förde med sig att molnen kontrasterades starkare mot himmelen. Trädens grönska, som lättades upp med hjälp av grönfiltren, avtecknade sig nästan grafiskt mot det himmelsblå i de svartvita fotografierna. Aldrig har väl solen lyst så mycket från en blå himmel kantad av små vackra moln som den gjorde under 1940-talets krigsår. Aldrig tidigare har väl heller svensken utsatt sig för så mycket friluftsliv som under de åren.

Även föreningsväsendet fick sin beskärda släng av sleven och medlemsmatrikeln blev mer omfångsrik än den någonsin tidigare hade varit.

Fotografiska Föreningens medlemmar ökade i antal. Scoutrörelsens likaså. Landets fotoklubbar förenade nöje med friskvård och förlade ofta sina träffar, när omständigheterna tillät, till någon lämplig skogsglänta. Där man gick på kamerajakt. Sveriges försvar var starkt!

Flera fotografer steg under det nationalromantiska skeendet fram och presenterade bilder, helt i avsaknad av banalitet och hysterisk kämpaglöd. En av dessa var Lennart af Petersens, som utförde hissnande sköna bilder över landskapets vyer. Hans upp-

dragsgivare var Svenska Turistföreningen och arbete förde honom runt landet i C.G. Rosenbergs spår. Även bildmässigt sökte han sig i sin föregångares spår även om af Petersens bilder hade ett mer särpräglat nysakligt drag än Rosenbergs.

Lennart af Petersens utvecklades till att bli städernas skildrare framför alla andra och har en framträdande plats i svensk fotografi. Han är en intensiv konstnärspersonlighet med ett rikt bildspråk och ett klart öga för vad som blir bra i bild! Han var under många år verksam vid Stockholms stadsmuseum, där hans mångfasetterade kunskaper resulterade i en rik bildskörd. Han är också en intressant föredragshållare som trollbinder sitt auditorium med personliga upplevelser från sin fotografiska verksamhet som stadsskildrare och resefotograf.

Gösta Lundquist tillhörde även han den krets fotografer som höjde sig över de alltför svärmiska nationalromantikerna. Till professionen var han förlagschef vid Svenska Turistföreningen och redaktör för *Svenska Turistföreningens Årsskrift*. Som fotograf ansåg han sig vara amatör i ordets rätta bemärkelse. Hans fotografier av landskapet vittnade om ett skarpt öga för kamerabilden som medium.

Populärt sett så åtnjöt fotoklubbsrörelsen och fotografin ett stort anseende under 1940-talet. Aldrig tidigare hade så många fotograferat, vilket berodde på det ökade produktutbudet och att det fotografiska materialet, trots kristiden var förhållandevis prisbilligt.

Efter andra världskriget skedde en viss stagnation i utvecklingen. De ideal man mejslat fram fick stå sig fram emot decenniets sista år. Men då kom förändringens vindar åter att blåsa. Det var inte så att intresset för fotografi sjönk. Nej, snarare tvärtom. Det steg! Det var formen och innehållet i 1940-talets fotografier som ogillades av dess kritiker. De nya kritikerna var en generation fotografer som vuxit fram i världskrigets skugga och som fann tiden mogen vid 1950-talets början att förkasta de äldres ideal.

1950-talet — en ny bildsyn

Alla konstriktningar får förr eller senare en mot-rörelse. Piktorialismen avlöstes av den nya saklig-heten, som i sin tur efterträddes av nationalroman-tiken.

Mot slutet av 1940-talet framträdde en ny gene-ration fotografer. De var påverkade av de utländska reportagefotograferna. De som arbetade för de stora bildtidningarna som *LIFE, LOOK, Picture Post, Paris Match* och många andra.

Den yngre generationen lämnade landskapet (de hade möjligen använt det som motivområde för att kunna deltaga i någon fototävling) och sökte sig andra objekt för sina kameror.

De intresserade sig mer för "bakgårdarnas realism" än för stämningarna i landskapet. De unga såg hela världen som sitt arbetsfält och ville i bild skildra "den nya människan". Det svenska land-skapet kom återigen på undantag. Visserligen fanns fortfarande den stora gruppen amatörer som gjorde bilder efter den mall de dragit upp under världs-kriget. Men de hade ju stagnerat. De unga som förde utvecklingen vidare sökte friskheten utomlands. De letade efter äventyret och enligt deras uppfattning så fanns det knappast att få i de svenska beteshagarna.

Den unga gruppen bildade samfällt front mot nationalromantiken och tillsammans med Ulf Hård af Segerstad, skriftställare och konstvetare, formu-lerade de sitt credo — en ny bildsyn! Som så ofta tidigare i fotografins historia materialiserades de nya tankarna i en utställning. Utställningen "De Unga" hölls i Stockholm 1949 och väckte stort uppseende. Händelsen, bakgrunden och de medverkades insatser har skildrats av Kurt Bergengren i en mycket intres-sant uppsats i *Fotografiskt Album* 1980 nr 2.

I den unga gemenskapen så fanns det några fotografer som tog upp tråden i traditionen. Hans Hammarskiöld, skildrade i flera bildkollektioner, landskapets vegetation i poetisk bildstil. Hans kol-lega Pål-Nils Nilsson visade prov på sitt bildspråk,

framvuxet under milslånga vandringar i det som återstår av svensk vildmark. Trots Hammarskiölds och Nilssons fotografier så hade nog den svenska landskapsfotografin helt deklinerat under 1950-talet om inte Sune Jonsson laddat sin kamera.

Sune Jonsson engagerade sig kraftfullt för allt vad landskapsfotografi heter. Hans konkreta och sakliga dokumentationer syftade till helt andra tolk-ningar än vad som tidigare gjorts. Det rika bildspråk som genomsyrar hans fotografier hämtade inspira-tion och näring hos äldre fotografkolleger. Bland dessa märktes Carl Fries och Oscar Halldin när det gällde närstudierna men i översikterna fanns något av Rosenbergs och Lennart af Petersens formkänsla. Men i Sune Jonssons bilder finns också drag av de amerikanska dokumentärfotografernas storslagna känsla för komposition. FSA-projektets fotografer har bidragit med övertonerna i hans poetiska bild-språk. Sune Jonssons fotografier står för en saklig-het, en renhet och ett uppsåt som vuxit fram ur generationer landskapsbrukares kunskaper och med-vetenhet.

Sune Jonsson har förutom sina fotografier ock-så skapat skönlitteratur av bestående värde med ett mycket personligt lyriskt och beskrivande språk. Hans nyttjande av ordet och bilden i kombination har inte någon motsvarighet i Sverige. Han har fördjupat tolkningen och beskrivningen av det svenska land-skapet.

Han har gripit tag i den konkreta fotografins uttrycksmöjligheter och gjort den till sin egendom. Med klara, distanserade känslor ställde han sig inför det svenska landskapet och avlockade det dess hem-ligheter.

Varje enskild bild fick sin bestämda mening i samklang med en hel kollektion, som likt ett vemo-digt mollackord framförd av en bygdespeleman, tonade ut över boksidor och utställningsskärmar. Sune Jonsson har fått tag i det undflyende svenska landskapet. Han är den senaste länken i en utvecklingskedja som en gång drogs igång av Carl von Linné.

Sune Jonsson vände sig mot den nya bildsynen redan under 1950-talet. Utvecklingsskedena har snabbare avlöst varandra efter andra världskriget och den nya bildsynen hann knappt spela upp förrän den avlöstes av Sune Jonsson och hans kamrater i gruppen "Sju Stockholmare". De var mer politiskt medvetna än sina föregångare. De var också mer fotografiskt skolade i historisk bemärkelse och hade studerat både svenska fotografitraditioner och utländska bildskeenden.

1960-talet — landskapet under efterkrigstiden

Under 1960-talet präglades många yngre svenska fotografer av engelsmannen Bill Brandts bildspråk. Det kännetecknades av en surrealistisk ton parad med klara visuella effekter. Ett av de mer lyckade försöken i Brandts efterföljd utfördes av Ulf Sjöstedt verksam på den svenska västkusten. Hans fotografier hade en särpräglad, frisk stämning blandad med en stark surrealistisk grundton. Sjöstedt brydde sig föga om att försöka beskriva landskapet och att i bild söka dess kärna. Han formade i stället naturen och präglade den med sina drömda skeenden. Det finns dock en djup naturkänsla hos Sjöstedt. Han beskrev en annan tid i sina bilder än den han egentligen fotograferade, utan att därför begagna sig av konstlade grepp.

Ulf Sjöstedt lät, i motsats till Pål-Nils Nilsson, aldrig landskapet bestämma vad som skulle avbildas. Där Nilsson närmast bedövades av skönhetsupplevelserna var Sjöstedt beredd till omtolkningar, passande en ny tidsera. Pål-Nils Nilsson formades i en tid med en ny bildsyn. Ulf Sjöstedt vände sig emot denna i hans tycke, snabbt föråldrade bildstil. Hos både Sune Jonsson och Ulf Sjöstedt fanns en antireaktion mot den nya bildsynen. Sune Jonssons var grundad på politisk medvetenhet utan romantik

men med en specifik känsla för bildspråket. Hos Sjöstedt var den vild, surrealistisk men ändå, likt Jonsson, fylld av nordiskt vemod.

1960-talet såg också skickliga fotografer och skribenter som Annagreta och Eric Dyring samt Rune Jonsson passera revy. Deras bildkollektioner var tillkomna i landskap både inom och utom Sverige. Makarna Dyrings bilder speglade det italienska och det engelska samt det svenska.

Rune Jonsson visade också lyriskt framställda fotografier från Englands landskap. Hans fina bilduppfattning kom kanske bäst till sin rätt där än i de svenska landskapens karghet.

Trions fotografier publicerades i skilda sammanhang. Gemensamt var dock att *Fotografisk Årsbok* vid flera tillfällen gjorde genomgripande presentationer av dem. Även i utställningar arrangerade av Riksförbundet Svensk Fotografi/Sveriges Fotoklubbar kom deras bilder att ofta imponera.

1970-talet — Samhällsmedvetandets bildavtryck

Åren runt 1970 präglades av de vidgade kunskaperna om världen och de mekanismer som styr den. I svensk fotografi tillkom en politisk medvetenhet som analyserade bildspråket och fotografernas förhållningssätt gentemot omvärlden.

Självklart blev den fotografiska tekniken och det rent bildmässiga i ett sådant skeende av underordnad betydelse. För landskapsfotograferandet i sig hade den nya trenden det goda med sig att fotograferna i högre grad än tidigare uppmärksammade miljöförstörelsen. Kameran blev till ett uppmärksamt vapen mot nedsmutsning av naturen. Fotograferna slöt sig samman i grupper med en klart definierad politisk målsättning. Några av dessa fotografsammanslutningar fick karaktären av bildbyråer varav några med naturen som huvudområde.

Flera fotografer arbetade också under årtiondet i nära kontakt med Svenska Naturskyddsföreningen och bevakade vad som tilldrog sig ute i markerna. En av de mer framträdande fotograferna inom det gebitet är Rolf Wohlin. Han har tagit till sin uppgift att kamerabevaka Södermanlands kust och skärgård. En ur natursynpunkt oerhörd känslig del av det svenska landskapet. I utställningen ''Från Ö till Ö, fotografier från Sörmlands skärgård'' gick Wohlin till storms mot områdets okänsliga makthavare. Mot de, som i hans tycke, lät ett stort stycke natur haverera genom en expansiv och ''progressiv'' utvecklingspolitik.

Det sena 1970-talet fick uppleva förändringar inom den fotografiska bildsektorn. Från att ha varit en utpräglad småbildskameraprodukt blev nu fotografierna styrda mot en utveckling som i viss mån liknade den piktorialistiska vid seklets början. Skillnaden var förstås att fotograferna i slutet av 1970-talet hade förvärvat en annan erfarenhet än den deras äldre kolleger hade.

Det stigande intresset för större negativformat och det vidgade intresset för bilden under 1979, stod i skarp kontrast mot de förhållanden som tidigare varit rådande under årtiondet. Landskapets ständiga förvandlingar beskrivs nu av två skilda fotografgrupper. Den ena är den som dokumenterar miljöförstörelsen och som fångar fåglarna i flykten. Den andra gruppen är den som använder landskapet för att förverkliga sig själv och inte minst för att kunna dominera den fotografiska tekniken. Den gruppen kommer att vara kameran överordnad och utifrån den förutsättningen beskriva upplevelser, stämningar och de gradvisa förändringarna. I den gruppen kommer fotografer som Otmar Thormann, Ann Christine Eek, Gunnar Smoliansky och Björn Dawidsson att finnas. De kommer, likt fotografer som Lee Friedlander och John Blakemore som förnyat sitt förhållningssätt till fotografi, att beskriva nuet och den flyende tiden.

Fotograferna inom fotoklubbsrörelsen fortsätter fotografera efter de mallar som drogs upp för närmare fyrtio år sedan. Skillnaden är bara den att

färgen smugit sig på dem. Och det har resulterat i en tydlig försämring! Alltför många bildexempel ur deras verksamhet vittnar om en eftergiven och fadd bildsyn. Likheten med de gamla Hötorgsmålningarna är uppenbar. Den traditionsrika källa som amatörfotograferna och deras organisationer stod för tidigare har nu totalt grumlats igen.

Några utländska landskapsskildrare

Enligt vanligtvis trovärdiga källor, så brukar utländska fotografer och bildentusiaster bli mycket förvånade över det rika antal naturfotografier som publiceras i våra vanligaste fototidskrifter!

Förvåningen hos de utländska bildbetraktarna gäller nog inte landskapsfotografierna utan bilderna med ornitologiskt och zoologiskt innehåll.

I USA har man, åtminstone från vår betraktningshorisont, ett annat förhållande till kameran i landskapet. Det behöver varken vara bättre eller sämre. Men det har otvivelaktigt vissa förtjänster vilket helt hänger ihop med enskilda fotografprestationer.

Under 1860-talet beslöt den företagsamme amerikanske fotografen, Carleton E. Watkins, sig för att skildra Kaliforniens ''jungfruliga vildmark''. Han lastade sin utrustning på en vagn som drogs av tolv mulåsnor och for ut i det okända. Han stannade i Yosemite Valley som är en dalgång med rik växtlighet, kantad av branta klippväggar.

Carleton E. Watkins gjorde det inte lätt för sig eftersom han valde att arbeta med en ovanlig negativstorlek. Hans glasnegativ mätte nämligen ca 56×71 cm. Varje enskilt negativ måste dessutom prepareras omedelbart innan det exponerades i kameran. Och detta var verkligen inte något lätt arbete.

Watkins fotografier kan inrangeras bland de allra bästa från epoken. Hans fotografier väckte så pass mycket uppmärksamhet att han öppnade ett galleri i San Francisco. Watkins rykte steg genom denna försäljningskanal och zenit på hans framgångs kurva nåddes, när han vid en världsutställning i Paris erövrade guldmedaljer för sina stora landskapsfotografier.

Under 1880-talet försämrades konjunkturerna och han fick sälja galleriet med negativ, fotografier och bildrättigheter. Det förvärvades av en man vid namn Isaiah Taber som fortsatte verksamheten där Watkins slutat. Taber sålde i några år fotografier under Watkins namn. Senare började han själv signera dem falskt föregivande att han skulle varit fotografiernas upphovsman. Tabers företag fick dock ett brått slut vid den stora jordbävningen som 1906 drabbade San Francisco. Hela huset strök med liksom lagret av negativ och fotografier. Vid den tiden var Carleton E. Watkins helt utblottad och levde i misär. Han dog tio år senare helt bortglömd av världen.

Det landskap han fotograferade, Yosemite Valley har allt sedan hans dagar utövat en märklig fascination på USA:s fotografer. En av områdets mest kända skildrare är Ansel Adams som tillsammans med sina kamrater i gruppen f/64 blev vägledande inom den amerikanska fotografin vid 1930-talets början. Gruppen bröt mot de då förhärskande stilidealen, den pictorialistiska fotografin, och skapade en ny stil. Rak och ren utan förkonstling!

Fotograferna i f/64-gruppen sökte, likt de svenska friluftsmålarna under 1800-talets senare del, landskapets sanning. Initiativtagare till gruppen var Edward Weston och Imogen Cunningham. Weston var den som starkast bröt mot den pictorialistiska traditionen. Han ansåg att de gamla idealen dolde sanningen genom sin softade oskärpa.

Edward Westons starka konstnärsskap uppmärksammades och han tilldelades under 1930-talet, som förste fotograf, ett Guggenheimstipendium. Stipendiesumman finansierade ett projekt som bestod i att fotografera landskapet i några av USA:s västra delstater. Hans landskapsstudier är präglade av en sensuell formkänsla. Bilderna har oavsett vilket motivområde han än valde att uttrycka sig i, en sinnlig mjukhet parad med sexuell klarhet.

Ansel Adams och Edward Weston stod varandra nära i ett kamratförhållande som varade till Westons död. De inspirerade varandra trots olikartade uppfattningar i tolkningsfrågor.

Märkligt nog så har Ansel Adams rönt vida större uppskattning som landskapsfotograf än Edward Weston. Det beror på att Adams i högre grad appellerar till sina landsmäns nybyggaranda och dess heroiska särdrag. Dessutom finns i Adams fotografier ett religiöst drag vilket åtminstone i viss utsträckning förklarar hans popularitet.

Ansel Adams var i sin ungdom besluten att bli konsertpianist och studerade musik i många år för att nå sitt mål. Den inneboende musikaliteten framträder i hans bildskapelser genom den formbyggnad och tonskala han ger dem. Bilderna har en musikalisk form och deras tonomfång och valörskalor, erhållna med det s. k. Zone-systemet, påminner i sin rika gråskala om Johann Sebastian Bachs ''Das Wohltemperierte Klavier''.

Edward Westons bildspråk saknar Adams omedelbarhet och kräver en djupare begrundan och noggrannare studie.

Två av Europas skickligaste landskapstolkare är engelsmannen Bill Brandt och tjeckoslovaken Josef Sudek. Hos de båda fotograferna finns en djup sinnlighet vilket avspeglas i deras respektive fotografier även om deras bildspråk är helt olika.

Bill Brandts fotografier brukar beskrivas som litterära och de har en markant anknytning till engelsk litteratur vilket också Brandt själv skildrat i bokform.

Josef Sudeks bilder har en ömtålig skirhet som kommer till uttryck i både ateljéstudier och landskapsfotografier utförda med en panoramakamera. Sudeks panoramor från staden Prags omgivningar har en särpräglad originalitet och ett stämningsläge som är svårt att verbalisera. Han är som Ansel Adams en stor musikentusiast och har publicerat en bok om kompositören Leos Janáčeks landskap och födelsebygd. Sudek var den mer subtilt arbetande fotografen. Där Adams och Brandt mer såg landskapets dramatik, så upphörde Josef Sudek aldrig att fascineras av det ljus som landskapet reflekterade.

Josef Sudek kunde tålmodigt vänta i timmar på att det rätta ljuset skulle infinna sig i landskapet. Hans favoritljus var det ljus som präglades av det lätta fuktdiset, av den knappt skönjbara dimman.

Josef Sudeks tålmodighet delades av de tre andra fotograferna. Weston strövade över markerna vid Point Lobos och sökte motivens klarhet. Adams sökte ljuset kring de majestätiska bergstopparna. Bill Brandt väntade i månader på att ljuset skulle uppenbara den rätta ödsligheten på Englands hedlandskap.

Perfektionismen delas lika mellan de fyra. Man strävade bara mot skilda mål. Hos Brandt finner man i motsats till de övrigas strävan efter valörer, en råhet — ett nästan grafiskt bildspråk. Det gör att Bill Brandts fotografier verkar tekniskt ofullgångna vid första påseendet. Han intresserar sig inte för tonvalörer och gråskalor utan letar i stället fram landskapets dramatik. Den blir dock aldrig till självändamål utan underordnas alltid bildens budskap.

Bill Brandt dramatiserar landskapet och söker efter starka effekter. Han forskar efter livet. Livslusten delar han med Weston och Sudek. Adams däremot söker, med sina långa tonskalor och med sin monumentalitet, efter bevis på att en guddom existerar.

Innehållet i Josef Sudeks fotografier är lika livsbejakande som hos Brandt. Det är bara mycket mer finstilt. Brandts är högljutt ropande medan Sudeks är lågmält viskande!

Amerikanen Minor White sökte likt Weston efter landskapets sinnlighet. Men Whites sökande är parat med mystisism, vilket gör hans fotografier svårtolkade och hemlighetsfulla. Han studerade österländsk religionshistoria för att på så sätt nå fram till klarhet och insikt. Det är inte omöjligt att Minor Whites bildspråk passar en annan tid än vår bättre. I andra referensramar blir de kanske helt uttydbara.

Minor Whites elev, Paul Caponigro, som likt Adams är en skicklig pianist, söker sig också fram efter en personlig linje i landskapet. Hans fotografier berättar inte om den monumentalitet som kännetecknar Ansel Adams utan han söker mer efter naturens samspel. Där Adams spelar på orgelns hela klaviatur använder Caponigro bara tonerna inom en oktav.

Paul Caponigros kolleger, Robert Adams och Lewis Baltz arbetar med att dokumentera förändringen i landskapet. Den förändring människan utsätter det för. Caponigro däremot söker det poetiska i landskapet medan de andra två vill se det moderna samhällets påverkan på gott och ont.

Paul Caponigro flyr den förstörelse Robert Adams och Lewis Baltz söker. Han vänder sig i stället till Carleton E. Watkins ''jungfruliga vildmark'' eller författaren Henry Thoreaus orörda, primitiva landskap. Den landskapsfotografi som de här uppräknade utländska fotograferna företräder kan påverka en ny svensk generations upptäckter och visualiseringsförmåga. Det svenska landskapet är ett föränderligt motivområde. Det förnyar sig ständigt och behöver därför återupptäckas och återerövras. Det svenska landskapet är undflyende likt folktrons huldra och kräver ständig vaksamhet.

Tore Abrahamsson, *Räitatjåkkas brant mot Vistasvagge, Kebnekaise, 1961.* 243×384

Hans Alenius, *Väg 1088 mellan Tresund och Dikanäs, 1972.* 249×362

Tor Alm, *Nuolja, Lappland, 1952.* 288×230

Nils Björsell, *Skärgårdslandskap, ca 1895.* 97×152

Oscar Bladh, *Kebnekaisemassivet, 1949.* 170×228

Gustaf W:son Cronquist, *Efter åskvädret, Rödlögafjärden, ca 1947*. 279×279

Kurt Dejmo, *Vinterlandskap, ca 1955.* 279×392

Eric Dyring, *Västra Skåne, 1961*. 160×300

Olof Ekberg, *Aftonstämning, ca 1935*. 240×177

Bertil Ekholtz, *Rimfrost, ca 1949*. 182×175

Ferdinand Flodin, *Landskapsstudie, ca 1925. Pigmentfotografi* 314×231

Helmer Florén, *Höst, Kronobergsparken, Stockholm 1942*. 178×247

Erik G:son Friberg, *29 sekundmeter — Landsort, ca 1945*. 287×310

Carl Fries, *Junidag, ca 1935.* 235×174

Sven Gillsäter, *Åreskutan med VM-banorna, 1954*. 233×240

Henry Buergel Goodwin, *Glitter, Utö, ca 1917.* Pigmentfotografi 175×215

Gustav Grahm, *Höstmorgon, ca 1936.* 210×168

Oscar Halldin, *Blomstudie Anemoner, ca 1910.* 163×224

Hans Hammarskiöld, *Ormbunkar, ca 1953.* 269×379

Arnold Hedén, *Höst, 1946.* 231×288

John Hertzberg, *Landskapsstudie, ca 1900. Bromoljetransfer* 230×149

Gösta Hübinette, *Storsjön, 1924. Klorbromsilverpapper* 199×291

Harry Jonasson, *Höstpreludier i Kiruna, ca 1949.* 300×274

Rune Jonsson, *Höstdimma, Jungfrudansen, Solna, 1958.* 330×221

Sune Jonsson, *Agnäs, 18 juni 1973.* 197×181

Ragnar Kihlstedt, *Söder om landsvägen, ca 1945.* 281×227

Gustaf Larsson, *Östgötabygd, ca 1945*. 228×285

Rune Lindskog, *Regnet kommer*, 1955. 196×377

Samuel Lindskog, *Fåglarnas sjö, Tåkern, ca 1935.* 164×226

Gösta Lundquist, *Afton i skördetid, ca 1945*. 314×296

Harry Lövstrand, *Landsväg, ca 1940.* 229×293

Gunnar Malmberg, *Under alarne, motiv från Nacka.* 281×170

Frans Malmros, *Från Bressle by, ca 1945*. 279×224

Borg Mesch, *Vakotavara sett från Suorvajaure, 1920.* 168×227

Severin Nilson, *Landskapsmotiv, ca 1880.* 227×174

Pål-Nils Nilsson, *Sol genom gräset, Skåne 1954*. 297×286

Gösta Nordin, *Nordingrå, 1955*. 293×231

Lennart af Petersens, *Klarälvsdalen, 1948.* 271×235

Carl Gustaf Rosenberg, *Skåne vid Svedala, 1933.* 226×167

Lars-Gunnar Rörby, *Vintergräs. Östergötland november 1968.* 318×492

Hans Sanner, *Före soluppgången, ca 1944.* 281×238

Bo Seinknecht, *Vattrad strand, ca 1946.* 233×290

Ture Sellman, *Landskapsmotiv, ca 1920.* 380×284

Ulf Sjöstedt, *Tidig morgon vid Särö, Halland, 1964* 347×490

Nils Thomasson, *Åreskutan, ca 1923.* 164×225

Johan E. Thorin, *Skogsväg vid Helgerum, Tjust, Småland, ca 1920.* 169×226

Eric Trulson, *Morgon, juni 1939.* 263×286

Gunnar Uddgren, *Landskap II, ca 1953*. 397×168

Arne Wahlberg, *Skånelandskap, ca 1938.* 173×229

Biografier

Till varje enskild biografi ges litteraturhänvisningar i urval. Annan litteratur som använts redovisas i en särskild förteckning. Litteraturen ingår i Fotografiska Museets referensbibliotek, Nationalmusei bibliotek samt författarens egen samling.

Fotografierna är hämtade ur Fotografiska Museets samlingar. I bildtexterna på föregående sidor är alla mått i millimeter: höjden × bredden.

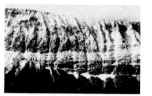

Tore Abrahamsson
(f. 1928)

Arkitekten och fotografen Tore Abrahamsson beskriver bergens och fjällmassivens former i sina fotografier. Han var redaktör för tidskriften *Till Fjälls* åren 1959–1961. 1975 presenterades hans bildkollektion "Berglandskap" i Fotografiska Museet/ Moderna Museet. 1980 erhöll Tore Abrahamsson tidskriften *FOTO:s* "Stora Fotografpris". Litt:
Kebnekajse. Stockholm 1971. *Himalaya Himalaya*. Stockholm 1974. *Tre landskap*. Helsingborg 1978. *Berglandskap*. Moderna Museet/Fotografiska Museet utst.kat. nr 125, Stockholm 1975 m. fl.

Hans Alenius
(f. 1937)

Född i Vilhelmina. Studerade vid Uppsala universitet 1959–1965. Verksam som lärare vid gymnasiet i Fagersta. Medverkar som skribent i *Aktuell Fotografi*. Hans utställningskollektion "Landsväg" visades 1976 i Fotografiska Museet/Moderna Museet. Ett urval av kollektionen ingår i vandringsutställningen "Four Swedish Photographers" producerad av Fotografiska Museet för Svenska Institutet. Litt:
Studentbilder. Stockholm 1967.

Solring. Stockholm 1969. *Landsväg–bilder och samtal*. Helsingborg 1975. *Landsväg Hans Alenius*. Moderna Museet/Fotografiska Museet utst. kat. nr 135, Stockholm 1976 m. fl.

Tor Alm (f. 1922)

Uppmärksammad fotograf inom Riksförbundet Svensk Fotografi/Sveriges Fotoklubbar. Är huvudlärare i informationsdesign vid Göteborgs universitet. Tillhörde under 1950-talet en tid redaktionen för *Nordisk Tidskrift för Fotografi*. Litt:
Karlsten, Evald, "Lappland", *Nordisk Tidskrift för Fotografi* 1953 nr 12 m. fl.

Nils Björsell
(1857–1897)

Nils Björsell, som hade en porträttateljé vid Regeringsgatan 18 i Stockholm, hade arbetat som lärling hos flera kända fotografer. Den mest kände av dessa var den franske fotografen Nadar (Gaspard Felix Tour-

nachon). Björsell var även verksam i Kristiania (Oslo) och Reval (Tallinn). 1885 öppnade han sin egen ateljé och var där verksam till sin död.
Litt:
"Nils Björsell", *Fotografisk Tidskrift* nr 155, 1897 m. fl.

OSCAR BLADH (1895–1973)
1918 började Oscar Bladh att fotografera Sverige från luften. Han var med all sannolikhet den förste här i landet inom just den yrkesgrenen. Han var verksam inom det äventyrliga flygfotografyrket tills det han var över sjuttio år.
Litt:
Bladh, Oscar och Karl Johan Rådström, *Sverige från luften.* Stockholm 1938 m. fl.

GUSTAF W:SON CRONQUIST (1878–1967)
G. W:son Cronquist var under många år en av de starkaste krafterna i Fotografiska Föreningen vars ordförande han var 1941–1944. Han medarbetade också i föreningsorganet *Nordisk Tidskrift för Fotografi.*

Cronquist intresserade sig speciellt för färgfotografiska problem. I Fotografiska Museets samlingar finns en av Cronquist 1907 utförd autochrome.
Litt:
I Österlen. Simrishamn 1953 Sjöström, K. O. "G. W:son Cronqvist. Amatörfotograf, föredragshållare, färgentusiast". *Nordisk Tidskrift för Fotografi* nr 9 häfte 372 1948 m. fl.

KURT DEJMO (f. 1919)
Konstnären Kurt Dejmo tillhörde under 1950- och 1960-talen de aktiva tävlingsfotograferna inom RSF — Riksförbundet Svensk Fotografi/Sveriges Fotoklubbar. Hans bilder hade ofta ett nästan grafiskt utförande där mellantonerna avlägsnats genom val av kontrastrikt fotomaterial. Dejmos landskapsstudier uppmärksammades i fotokretsar under 1960-talet genom visualiserandet av skenbart enkla motiv. Inspirationen till detta kom från hans bildskapande inom andra uttrycksformer.
Litt:
"Kurt Dejmo", *Foto* nr 3 1965 m. fl.

ERIC DYRING (f. 1930)
Få personer har som Eric Dyring lyckats poularisera vetenskap och forskning. I tidskriften *Forskning och Framsteg* vars redaktör han var under följd av

år presenterade han nya rön och synpunkter inom många skilda vetenskapliga fält.
Tillsammans med Annagreta Dyring har han också framställt fotografier av olika länders landskap. De har också tillsammans medverkat som skribenter i bl. a. *Fotografisk Årsbok* och kommenterat skeendet och framåtskridandet inom svensk fotografi. Under åren 1978–1980 var Eric Dyring chef för Tekniska Museet i Stockholm. I september 1980 tillträdde han en tjänst som teknisk redaktör vid *Dagens Nyheter.*
Litt:
Landskapets arkitektur. Stockholm 1965. Dyring, Annagreta och Eric, "Tjugo års svartvit fotografi", *Fotografisk Årsbok 1965,* Stockholm 1964 m. fl.

OLOF EKBERG, (f. 1900)
En av landets skickligaste föremålsfotografer är Olof Ekberg som under en följd av år varit anställd vid Nordiska Museet. Som sina fotografkolleger hade Ekberg alltid kameran med sig och förevigade sina intryck från naturen. Hans speciella tekniska kunskaper har även nyttjats av andra museer och institutioner.
Litt:
Bäckströms Bilder. Fotografiska Museet, Stockholm 1980 m. fl.

BERTIL EKHOLTZ (f. 1915)
Bertil Ekholtz arbetade som fotograf i Umeå men hade hela norra Sverige som arbetsplats. Han deltog flitigt i de fototävlingar som arrangerades av Svenska Fotografernas Förbund och Riksförbundet Svensk Fotografi/Sveriges Fotoklubbar under åren 1930–1960. Han har skildrat säljakter i Bottenviken och snöstormar i otillgängliga fjälltrakter.

FERDINAND FLODIN (1863–1935)
Ferdinand Flodins rykte som fotograf svepte över Stockholm åren kring sekelskiftet. Han hade en av huvudstadens mest frekventerade porträttateljéer. Han var även intresserad av fotografins äldre historia och framträdde inom Fotografiska Föreningen som föreläsare i

ämnet. I ungdomsåren hade han studerat i USA och beslöt sig då för att bli fotograf till professionen. Efter att tillsammans med fotografen E. Thyberg ha bedrivit en porträttatelje i staden Worcester flyttade han 1899 hem till Stockholm där han förvärvade Ernst Roeslers fotoatelje. Flodin var redaktionsmedlem vid *Nordisk Tidskrift för Fotografi* och sekreterare under en följd av år i Svenska Fotografernas Förbund.

Litt:
Jonason, Aron, "En röst från landsorten", *Svenska Fotografen* nr 26, 1913. Flodin, Ferdinand, "Internationella fotografiutställningen i Skånska gruvan, Skansen 1930", *Nordisk Tidskrift för Fotografi* nr 152, 1930 m. fl.

HELMER FLORÉN
(f. 1893)

Ingenjören Helmer Florén tillhörde den aktiva gruppen fotografer under 1940-talet. Han var under några år vid 1950-talets början med i Fotografiska Föreningen och deltog i dess tävlingar. Nu för tiden sysslar han mest med smalfilm.

ERIK G:SON FRIBERG
(f. 1899)

Framstående amatörfotograf och en av Fotografiska Föreningens mest energiska medlemmar. Han har vunnit åtskilliga fototävlingar bl. a. "Mästartävlan". Tävlade även med landskapsfotografier i Svenska Turistföreningens kraftmätningar.

CARL FRIES (1895–1982)

En av Sveriges mest framstående naturskildrare i såväl text som fotografisk bild. Hans kunskaper har nyttjats av Svenska Naturskyddsföreningen och Svenska Turistföreningen. Från 1937 till 1953 var han förste intendent vid Nordiska Museet och Skansen.

Litt:
Cronquist, Gustaf W:son. "Carl Fries. En kamerans och pennans mästare", *Nordisk Tidskrift för Fotografi* nr 11 1945.
Gustafsson, Bengt. "Epoken Carl Fries", *Fotografisk Årsbok 1960*. Stockholm 1959.
Jonsson, Sune. "Det finns inte ett ord att måla en sådan härlighet...", *Populär Fotografi Årsbok 68/69*. Helsingborg 1968. *I skogen*. Stockholm 1938. *I svenska marker*. Stockholm 1938. *Bäverland*. Stockholm 1940. *Svensk natur från hav till fjäll*. Stockholm 1950.

De stora öarna i Östersjön. Stockholm 1964 m. fl.

SVEN GILLSÄTER
(f. 1921)

Sven Gillsäter är en av Sveriges mest kända skildrare av djur och natur. Inte minst hans filmer från fjärran och exotiskt belägna länder har bidragit till hans popularitet. Han tillhör den välkända fotografgruppen TIO fotografer genom vars bildbyrå hans fotografier distribueras.

Litt:
Ö efter ö. Stockholm 1966. *Hallandskust*. Halmstad 1977.
Möllerfors, Roland, "Sven Gillsäter — reporterfotograf", *Fotografisk Årsbok 1962*. Stockholm 1961 m. fl.

HENRY B. GOODWIN
(1878–1931)

Kom som språkman till Sverige och föreläste vid Uppsala universitet. Var god vän med den tyske porträttfotografen Nicola Perscheid som inspirerade honom och hans intresse för den piktorialistiska bildstilen. 1915 etablerade sig Goodwin som yr-

kesfotograf och öppnade ateljén Kamerabilden på Strandvägen i Stockholm. Goodwins landskapsstudier är utförda på Utö i Stockholms skärgård eller i Saltsjöbaden där han var bosatt den sista delen av sitt liv.

Litt:
Nordström, Alf, "Gamla fotografer". *Foto* nr 6 1952. Götlin, Curt, "Henry Buergel Goodwin", *Fotonyheterna* nr 7 1971.
Nilsson, Bo, "Henry B. Goodwin svensk porträttfotograf", *Fotografiskt Album* nr 1 1980. *Bäckströms Bilder*, Fotografiska Museet. Stockholm 1980. *Doktor Goodwins lilla katekes*. Stockholm 1928. *Täppan som sommarnöje*. Stockholm 1926. *Kamerabilden*. Stockholm 1929 m. fl.

GUSTAF GRAHM
(1901–1971)

Körsnären Gustaf Grahm tillhörde under en lång följd av år Fotografiska Föreningen och var en av dess mest aktiva tävlingsfotografer. Hans favoritmotiv var Gamla stans gränder. Men han sökte sig också gärna ut till Stockholms skärgård eller till markerna runt Enskede där han var bosatt. Hans bildstil var nationalromantisk med en lätt antydan av den nya saklighetens mer konkreta förhållningssätt till motiven.

Litt:
"Enkät", *Fotografisk Årsbok 1958*. Stockholm 1958 m. fl.

OSCAR HALLDIN
(1873–1948)

Ballonguppstigningar, upptäckts-resor hörde till vardagen för den äventyrligt lagde fotografen Oscar Halldin. 1906 var han en av tre ickegrekiska fotografer vid jubileumsolympiaden i Aten. Under åren kring första världskriget blev Oscar Halldin intresserad av ornitologi och brukade sin kamera inom denna vetenskap. 1930 var han med och grundade Pressfotografernas Klubb. Oscar Halldins skenbart enkla tolkning av anemonerna är en svensk landskapsfotografi-klassiker.
Litt:
"Fotografering av blixtar", *Foto* nr 6 1940. "I ballong", *Fotografisk Tidskrift* nr 178 1899. *På kamerajakt.* Stockholm 1922 (med text av Alarik Behm). *Fågeljakt med kamera.* Stockholm 1935 m. fl.

HANS HAMMARSKIÖLD
(f. 1925)

En av de centrala medlemmarna i gruppen "de unga" som 1949 fronderade sig mot den då äldre fotografgenerationen. Hans Hammarskiöld som under 1970-talet uppmärksammats för sina bildspel har prövat flera fotografiska verksamhetsområden. Han har bl. a. varit modefotograf i London, reportagefotograf och

reklamfotograf. Sommaren 1980 var han värd för en amerikansk museidelegation samtidigt som han visade ett bildspel i utställningen "Boplats 80".
Hans Hammarskiölds fotografier förmedlar en för svenska förhållanden ovanlig poetisk ton och beskriver skilda stämningslägen i landskapet.
Litt:
Objektivt sett. Stockholm 1955. *Värmland det sköna.* Stockholm 1951 (Med text av Eva Wennerström-Hartman). *Hans Hammarskiöld.* Helsingborg 1979 (Med text av Rune Jonsson) m. fl.

ARNOLD HEDÉN (f. 1917)

Bokhandlaren Arnold Hedén började fotografera 1932. Tillsammans med likasinnade bildade han 1943 Borlänge Fotoklubb. Han tillhör den stora grupp amatörfotografer som var med och tävlade under den nationalromantiska epoken. Åren omkring 1950 slutade han med det aktiva tävlandet, som så många andra, eftersom den nya bildsynen inte alls stämde med hans ideal. Han är fortfarande aktiv i Borlänge Fotoklubb men fotograferar numera helst i färg.

JOHN HERTZBERG
(1871–1935)

Han var under en följd av år speciallärare och docent vid Kungliga Tekniska Högskolan i Stockholm. För allmänheten blev han mest känd genom att han 1930 lyckades framkalla den förolyckade Andrée-expeditionens bilder. Negativmate-

rialet hade då legat nedfruset i omkring trettio år. John Hertzberg var en av svensk fotografis skickligaste tekniker. Han hade också ett skarpt öga för komposition och för bildskapande.
John Hertzberg tillbringade flera studieår utomlands bl. a. i Wien, Berlin och Paris. Han var under flera år sekreterare i Svenska Fotografernas Förbund.
Under åren 1911–1916 var han redaktör för tidskriften *Svenska Fotografen.* 1917 startade han *Nordisk Tidskrift för Fotografi* vars redaktör han var fram till sin död.
Litt:
De fotografiska kemikalierna. Stockholm 1915. *Bäckströms Bilder,* Fotografiska Museet. Stockholm 1980 m. fl.

GÖSTA HÜBINETTE
(1897–1980)

Gösta Hübinette delade sin fritid mellan att måla och fotografera. Som ung hade han tänkt sig att bli konstnär och

han deltog i flera utställningar. Men konstnärsbanan var för otrygg ekonomiskt sett så efter fleråriga handelsstudier började han hos företaget Myrstedts Matthörna i Stockholm. Så småningom blev han företagets ekonomiske direktör. Han var en av de mest envetna krafterna i Fotografiska Föreningen under 1930-talet och deltog i såväl utställningsverksamheten som i klubbtävlingarna.
Litt:
Bäckströms Bilder, Fotografiska Museet. Stockholm 1980 m. fl.

HARRY JONASSON
(f. 1906)

Harry Jonasson var också en av fotograferna vars mest aktiva tid inträffade under den nationalromantiska epoken. Han hade en framskjuten plats i Fotografiska Föreningen och deltog ofta i arrangerandet av de olika tävlingarna. Han var också verksam inom föreningens filmsektion.
Litt: "Fotoklubbarnas programfråga", *Nordisk Tidskrift för Fotografi* nr 10 1946 m. fl.

RUNE JONSSON (f. 1932)

Skribenten och fotografiläraren Rune Jonsson är en av de mest populära föredragshållarna inom ämnesområdet. Hans fotografier har uppmärksammats inte bara för sin kvalité utan också för att de mycket ofta är tillkomna under svåra ljusförhållanden: i dimma, regn eller

vid kraftigt snöfall. Hans fotografiska ideal är bildskaparna som arbetade för de stora bildtidningarna. Trots detta är hans egna fotografier poetiska och humoristiska och saknar den ibland hårdhänta realism som kännetecknar den dokumentära skolan.
Litt:
Vi börjar fotografera. Stockholm 1961. *Fotografera i svartvitt.* Stockholm 1964. Wigh, Leif, ''Rune Jonsson — Fotografisk allvetare'', *Fotonyheterna* nr 2 1978 m. fl.

SUNE JONSSON (f. 1930)

Fältetnologen Sune Jonsson, berömd inte minst för sina skönlitterära romaner, har som ingen annan präglat den svenska landskapsfotografin under de senaste tjugo åren. Han har också producerat TV-filmer och gjort dokumentära skildringar av folket och bygden i Västerbotten. Sedan 1968 är han verksam vid Västerbottens museum.
Litt:

''Med fotografens kulturella himmelsfärd som anledning'', *Fotografisk Årsbok 1957.* Stockholm 1957. *Utmark.* Dikter av Sigvard Karlsson. Stockholm 1963. *Bilder från bondens år.* Solna 1967. *Minnesbok över den svenske bonden.* Halmstad 1971. *Jordabok. Odlingsbilder 1971—75.* Stockholm 1976 m. fl.

RAGNAR KIHLSTEDT
(1906—1981)

Tandläkaren Ragnar Kihlstedt var oftast den som arrangerade underhållningen vid Fotografiska Föreningens samkväm under 1940-talet. Hans fotografier hade en nationalromantisk prägel men utvisade också påverkan från den nya sakligheten. Han var under flera år vice ordförande i Fotografiska Föreningen. Han sysslade också med smalfilm. Hans mest kända fotografi är utan tvekan ''Haveri''. En bild visande en leksakssegelbåt som kastar en diagonal skugga i vattenbrynet.
Litt:
''En hobby grenar ut sig'', *Foto* nr 1 1943 m. fl.

GUSTAF LARSSON
(f. 1906)

Östgötafotografen Gustaf Larsson tillhörde den nationalromantiska skolan. Han var under många år ivrig amatörfotograf och blev efter att ha vunnit flera fototävlingar fotograf till pro-

fessionen. Han fotograferade landskapet och naturen ute vid kusten i sitt län och fascinerades av de former som byggdes upp framför hans kamera i landskapet med molnens hjälp.
Litt:
''Eget arbete mycket värt...'', *Foto* nr 5 1942 m. fl.

RUNE LINDSKOG (f. 1935)

Rune Lindskog driver företaget Lifo-bild, i Älmhult, som framkallar färgfilm och färgbilder åt möbelföretaget IKEA. På fritiden ägnar han sig åt att med sin kamera skildra det småländska landskapet. Han har även besökt Island och planerar att visa de bilder han gjort vid en utställning.

SAMUEL LINDSKOG
(1872—1953)

Sam Lindskog var vid 1930-talets början anställd av Svenska Trafikförbundet för att i bild skildra några svenska landskap. Fotografierna användes i den

dåtida svenska turistpropagandan. Sam Lindskog hade börjat sin yrkesbana som ateljéfotograf. Redan vid sekelskiftet började han dock fotografera i naturen. Han färdades på cykel runt i trakterna kring Örebro och Nora och förevigade även bebyggelsen: bondgårdar och stugor med dess invånare.
Litt: Götlin, Curt, ''Sam Lindskog 70 år'', *Svensk Fotografisk Tidskrift* nr 376 maj 1942 m. fl.

GÖSTA LUNDQUIST
(1905—1952)

Förlagschefen vid Svenska Turistföreningen och redaktören för *Svenska Turistföreningens årsskrift* Gösta Lundquist var en av de mest uppmärksammade fotograferna under 1940-talet. Hans bilder tillhörde den nationalromantiska skolan men hade också något av den nya saklighetens särdrag.
Litt:
Petersens, Lennart af, ''Gösta Lundquist'' *Nordisk Tidskrift för Fotografi* nr 8 1952. ''Landskapsfotograferingens dilemma'', *Fotografisk Årsbok 1947.* Stockholm 1946. *Lappland.* Stockholm 1954 m. fl.

HARRY LÖVSTRAND
(f. 1913)

Den i Norrtälje födde filmfotografen Harry Lövstrand arbetade under flera år vid Strandvägsateljén i Stockholm. Han producerade därefter filmer från Norrland som rönte stor uppskattning vid visningarna i Kon-

serthuset under 1940- och 1950-talen. Han har även skildrat landskapet i fotografi och hans bildideal hör hemma i den nationalromantiska eran.

GUNNAR MALMBERG
(1877—1958)

En av introduktörerna till den piktorialistiska bildstilen i Sverige var Gunnar Malmberg. Han hade studerat i olika länder och rest i Europa och där lärt känna den nya moderiktningen inom amatörfotografkretsarna. Han beskrev sina intryck i olika tidskriftsartiklar och i föredrag hållna i Fotografiska Föreningen där han var verksam som styrelseledamot. Det fotografi som återges i denna bok har Gunnar Malmberg utfört med en hålkamera. En egenhändigt tillverkad kamera utan objektiv men med ett knappnålsstort hål istället.
Litt:
"Om fotografering med hålkamera", *Fotografisk Tidskrift* nr 134 15 juli 1896. *Utkopierings-*

papperens framkallning. Stockholm 1900. "Om komposition vid landskapsfotografering", *Fotografisk Tidskrift* nr 209 maj 1902. *Bäckströms Bilder*, Fotografiska Museet. Stockholm 1980 m. fl.

FRANS MALMROS
(1898—1964)

Frans Malmros betydelse som fotograf låg i den djupa insikt han hade i det skånska landskapet. Han hade ett djupt naturintresse och en känsla för det typiskt svenska som förstärktes under andra världskrigets ofärdsår. Det finns en kräsen noggrannhet i hans fotografier som skiljer dem från de snabbt tillkomna ögonblicksskotten. Malmros var en av de främsta exponenterna av den nationalromantiska fotografistilen.
Litt:
Malmros, Frans och Gabriel Jönson, *Detta är Skåne*. Malmö 1948. "Amatören och hans hobby", *Foto* nr 3 1940. Sjöström, K.O. "Frans Malmros. Landskapsfotograf och Skåneskildrare", *Nordisk Tidskrift för Fotografi* nr 2 1949 m. fl.

BORG MESCH
(1869—1956)

Borg Mesch var verksam som ateljéfotograf i Landskrona innan han år 1899 metodiskt började beskriva naturen och livet i norra Sverige. Hans fotografier

har väckt internationell uppmärksamhet genom sitt starka dokumentära innehåll.
Litt:
Elgström, Ossian, *Fjällfotografen Borg Meschs äventyr*. Stockholm 1927. Hemmingsson, Per, "Borg Mesch — alpinist med kamera", *Bild*, Liljevalchs Konsthall katalog nr 296. Stockholm 1970 m. fl.

SEVERIN NILSON
(1846—1918)

Målare, konstnär men för sin tid med en ovanligt skarp dokumentär blick. Hans landskapsstudier tillhörde tidens förnämsta. Severin Nilson fotograferade landskapet i Halland där han var född. Men han har också skildrat naturen i Södermanland och runt Stockholm. Han var en av "artisterna" i Fotografiska Föreningen och präglade sannolikt sin bildsyn på de omkringvarande amatörerna.
Litt:
Bengtsson, Mats och Olsheden Jan, *Severin Nilsons Halland*. Laholm 1975. Andersson, C.M. *Severin Nilsons Hallands-*

bilder, Särtryck ur Halland. Halmstad 1972. *Bäckströms Bilder*, Fotografiska Museet. Stockholm 1980 m. fl.

PÅL-NILS NILSSON
(f. 1929)

Pål-Nils Nilsson har under flera år varit verksam för Svenska Turistföreningen och har biträtt med utgivandet av *Årets Bilder*. Han har en oerhörd stor bildproduktion bakom sig med fotografier av konsthantverk och konstnärer, djur och naturbilder. Han uppehåller sig gärna kring de bildsköna motiven i norra Sverige.
Litt:
Nilsson, Pål-Nils och Bo Rosén, *Natur*. Stockholm 1956. *Landskap*. Stockholm 1956 m. fl.

GÖSTA NORDIN (f. 1930)

Gösta Nordin tillhör samma åldersgrupp som Sune Jonsson. Hans landskapsfotografier skiljer sig däremot från Jonssons genom att de har en formuppbyggnad som närmast för tankarna till den nationalromantiska stilen. Hans fotografier tillkomna vintertid av markerna kring Nordingrå uppmärksammades stort när de under 1950-talet publicerades i *Sweden Illustrated.*

LENNART AF PETERSENS
(f. 1913)

Lennart af Petersens är en av staden Stockholms förnämsta skildrare. Hans motsvarighet finns möjligen i litteraturen där författare som Bo Bergman, August Blanche, August Strindberg eller Stig Claesson (Slas) kan konkurrera med honom. Lennart af Petersens landskapsfotografier kännetecknas av samma säkra bilduppfattning parad med en stark konstnärlig blick.
Litt:
Sjöström, K. O. "Lennart af Petersens. Museifotograf och staffagespecialist", *Nordisk Tidskrift för Fotografi* nr 10 1948. Petersens, Lennart af, och Dagmar Edqvist, *Gotland treasure island in the Baltic.* Stockholm 1960. Petersens, Lennart af, och Mats Rehnberg, *Vaxholm skärgårdsstaden.* Stockholm 1963. "Lennart af Petersens", Stockholms Stadsmuseum utställningskatalog nr 2 i serien *Stockholmsfotografer* (med text av Kurt Bergengren.) Stockholm 1978 m. fl.

CARL GUSTAF ROSENBERG (1883–1957)

C G Rosenberg föddes av ett konstnärspar i Paris och hade själv planer på att bli målare. Han valde dock att uttrycka sig i fotografiska bilder. Han blev en av de förnämsta landskapsskildrarna genom sitt arbete för Svenska Turistföreningen i vars publikationer det gavs prov på hans utsökta klara, konkreta bildkonst.
Litt:
"Sommarfärder i Hälsingland", *Svenska Turistföreningens Årsskrift 1923.* Stockholm 1923. *Svenskar i dagens gärning.* Stockholm 1935 m. fl.

LARS-GUNNAR RÖRBY
(f. 1934)

Lars-Gunnar Rörby var en av medlemmarna i Bildklubben i Uppsala. En grupp som under 1960-talet stod för en ny vision inom fotoklubbsrörelsen. Flera av gruppmedlemmarna var påverkade av Uppsalafotografen Gunnar Sundgren som i tal och skrift ofta framförde sina syn-

punkter på svensk fotografi. Lars-Gunnar Rörby har själv utvecklat en poetisk bildstil och har skildrat årstidernas växlingar, ljusets stämningslägen i de olika svenska landskapen.
Litt:
"Ett välförtjänt fotografstipendium", *Fotografisk Årsbok 1964.* Stockholm 1963 m. fl.

HANS SANNER (f. 1917)

Arkitekten Hans Sanner tillhörde den grupp aktiva fotografer som tog ställning mot den nya bildsynen vid 1950-talets början. Hans bildideal var förankrade i den nationalromantiska epokens fotografier med dess innehåll av naturdramatik. Hans Sanner var verksam inom fotoklubbsrörelsen och hade flera förtroendeuppdrag inom bl. a. Fotografiska Föreningen.

BO SEINKNECHT
(1910–1968)

Uddevallafotografen Bo Seinknecht var under 1940- och 1950-talen aktiv inom fotoklubbsrörelsen och deltog med framgång i skilda fototävlingar.

1959 erhöll han första pris i tidskriften *Foto:s* mästartävlan.

TURE SELLMAN
(1888–1969)

Få personer i den fotografiska världen var så fruktade som arkitekten Ture Sellman. Har var ofta ena parten i ändlösa diskussioner om fotografi och debatterade allt med alla. Han var under seklets första decennier inspirerad av den piktorialistiska bildsynen. Men under 1920-talet förändrades hans inställning och han kom mer att intressera sig för den sakliga och konkreta fotografin. Hans egna fotografier var alltid ytterst välgjorda och utförda i många skilda tekniska förfaranden.
Litt:
"De fotografiska uttrycksmedlen och den fotografiska realismen", *Nordisk Tidskrift för Fotografi* nr 51 häfte 7 1921. "Den konstnärliga landskapsbilden", *Nordisk Tidskrift för Fotografi* nr 311 häfte 8 1943. *Bäckströms Bilder,* Fotografiska Museet. Stockholm 1980 m. fl.

ULF SJÖSTEDT (f. 1935)

Ulf Sjöstedt har ifrån sin position vid kameraföretaget Victor Hasselblad AB vid utsikt över svensk och internationell fotografi. Själv har han exponerat sina fotografier för världen genom åtskilliga böcker, tidskrif-

ter och utställningar. Under 1960-talet deltog han med framgång i åtskilliga tävlingar. Hans fotografier väckte uppmärksamhet genom sin överrealistiska och drömlika karaktär.
Litt:
Ulf Sjöstedt Fotografier 1961— 1975, Moderna Museet/Fotografiska Museet utst. kat. nr 135. Stockholm 1976. *Den fotografiska bilden.* Halmstad 1979. *Mina mest subjektiva bilder.* Alingsås 1979 m. fl.

men 1885, och hans kursledaregenskaper utnyttjades inom Svenska Fotografernas Förbund.

NILS THOMASSON
(1880 – 1975)
Nils Thomasson skildrade den svenska fjällvärlden i sina fotografier. Han var bosatt i Åre och därifrån gjorde han talrika utflykter i de närliggande fjällområdena. Hans fotografier hade en saklig prägel där dokumentationen av fjällvidderna alltid kom i första rummet.

JOHAN THORIN
(1861 – 1930)
Åtvidabergsfotografen Johan E. Thorin var en utomordentligt skicklig landskapsfotograf. Hans bilder användes av flera organisationer i deras arbete inom turistnäringen. Thorin var också skicklig pedagog, han hade avlagt folkskollärarexa-

ERIC TRULSON (f. 1904)
Västeråsingenjören Eric Trulson firade triumfer med sina fotografier under 1940-talet. Den tävling var inte värd namnet där han inte deltog. Hans fotografier kännetecknades av nationalromantikens särmärken; mjuka cumulusmoln mot mörk himmel och den lätta grönskan som trädde fram ur den mörka bakgrunden. Han gick dock aldrig till de tekniska överdrifter som flera av hans samtida gjorde.

GUNNAR UDDGREN
(f. 1930)
Reklamfotografen Gunnar Uddgren har sedan 1976 egen studio i Göteborg. Han har varit anställd vid Svenska Telegrambyråns fotostudio och vid biltillverkarföretaget Volvos fotoateljé. Under studieåren vid Slöjdföreningens skola utförde han ett antal landskapsfotografier och en av dessa publiceras i denna bok.

ARNE WAHLBERG
(f. 1905)
Trojkan Herman Bergne, Edvard Welinder och Arne Wahlberg var 1930-talets förnämsta studiofotografer i Stockholm. Wahlberg ägnade sig mer åt föremålsfotografering än de övriga som gjorde sig mer kända som mode- och porträttörfotografer.
Arne Wahlberg var också en skärpt landskapsfotograf och omsatte sina nysakliga ideal i skickligt utförda naturtolkningar.
Litt:
"Något om bildmässighet", *Nordisk Tidskrift för Fotografi* häfte 3 nr 161 1931. *Fotografer: Emil Heilborn, Sven Järlås, Gunnar Sundgren, Arne Wahlberg,* Moderna Museet/ Fotografiska Museet utst. kat. nr 146. Stockholm 1977 m. fl.

LITTERATURFÖRTECKNING

Adams, Ansel. My Camera in the National Parks. San Francisco, Kalif. 1950.

Adams, Ansel. Death Valley. San Francisco, Kalif. 1954. (med Nancy Newhall och Ruth Kirk).

Adams, Ansel. These we Inherit, the Parklands of America. San Francisco, Kalif. 1962

Adams, Ansel. Yosemite Valley. Redwood City, Kalif. 1967. (med Nancy Newhall)

Ansel Adams. Hasting-on-Hudson, N.Y. 1972

Ansel Adams. Moderna Museet/Fotografiska Museet utst. kat. nr 153. Stockholm 1977.

"Ansel Adams", Fotografiska Museets meddelande nr 3, 1977.

Adams, Robert. The New West. Landscapes along the Colorado Front Range. Boulder, Colorado 1974.

Adams, Robert. Praire. Denver Art Museum utst.kat. Denver, Colorado 1978.

Alfons, Harriet och Sven. Carl Larsson skildrad av honom själv. Stockholm 1977.

Bergengren, Kurt. "Fotografera Ditt Land!", Fotografisk Årsbok 1966. Stockholm 1965.

Bergengren, Kurt. "Adress Rosenlund", Fotografiskt Album 1980 nr 3

Bosson, Henry. "Den fotografiska bilden ur konstnärlig och bildmässig synpunkt", Nordisk Tidskrift för Fotografi nr 308, häfte 5 1943.

Bosson, Henry. "Landskapsfotografering tarvar tålamod", Nordisk Tidskrift för Fotografi nr 314, häfte 11 1943.

Bosson, Henry. "Softat landskap", Nordisk Tidskrift för Fotografi nr 323, häfte 8 1944.

Brandt, Bill. Photographs. Hayward Gallery utst.kat. London 1970

Brandt, Bill. Bilder från fyra årtionden. Stockholm 1966.

Brandt, Bill. Shadow of Light. London 1977.

"Bill Brandt", Fotografiska Museets meddelande nr 3 1977

Bill Brandt. Moderna Museet/Fotografiska Museet utst.kat. nr 155. Stockholm 1978.

Bullaty, Sonja. Sudek. New York, N.Y. 1978.

Paul Caponigro. An Aperture Monograph. Millerton, N.Y. 1972.

Caponigro, Paul. Landscape. New York, N.Y. 1975.

Carleman, Carl Gustaf Vilhelm. Vägledning i Fotografi. Stockholm 1888.

Carleman, Carl Gustaf Vilhelm. "Historiska notiser", Fotografisk Tidskrifts Årsbok 1892. Stockholm 1892.

Carleman, Carl Gustaf Vilhelm. "Konstnärer och konstförhållanden i Sverige på 1840-talet", Konstnärsklubbens ledamotsförteckning. Stockholm 1946.

Düsseldorfmålare. Nationalmusei utst.kat. nr 397. Stockholm 1976.

Ekström, Tor. ''Vackra landskapsbilder'', Nordisk Tidskrift för Fotografi nr 325 häfte 10 1944

Fotografernes Rom Pius IX's tid, Thorvaldsens Museum, København 1978.

Gullers, K.W. Sweden from the air. Stockholm 1950.

Johansson, Gotthard. Kritik. Stockholm 1941.

Julner, Evert. ''Från överklasshobby till nästan en folkrörelse'', Fotonyheterna nr 4 1978.

Katalog öfver Fotografiska utställningen i Industripalatset. Stockholm 1894.

Larsson, Carl. Jag. Stockholm 1953.

Lundaahl, Robert. ''Åt skogen med kameran'', Fotografisk Årsbok 1951. Stockholm 1950.

Egron Lundgren. Prins Eugens Waldemarsudde och Nationalmuseum utst.kat. februari–april 1980. Stockholm 1980.

Maddow, Ben. Edward Weston: Fifty Years. New York, N.Y. 1973.

Naef, Weston J. Era of Exploration. New York, N.Y. 1975.

Newhall, Nancy. The Daybooks of Edward Weston. Vol. 1–2. New York, N.Y. 1973.

Newhall, Nancy. The Flame of Recognition. New York, N.Y. 1975.

Newhall, Nancy. Ansel Adams, The Eloquent Light, Vol. 1. San Francisco, Kalif. 1963.

Sudek, Josef. Praha Panoramaticá. Prag 1959.

Sudek, Josef. Janáĉek — Hukvaldy. Prag 1971.

''Josef Sudek'', Fotografiska Museets meddelande nr 3–4 1978.

''Svenskt landskap — sett av kamerans konstnärer'', Fotografiska Museets meddelande nr 1–2 1979.

Sveriges Natur. Svenska Naturskyddsföreningens årsbok 1979. Stockholm 1979.

Thaning, Olof. ''Turistföreningens fotografer'', Fotonyheterna nr 1 1978.

Warburg, Karl. Från vår konstverld. Stockholm 1881.

Wigh, Leif. ''Otmar Thormann och fotografierna'', Fotonyheterna nr 9 1979.

Wigh, Leif. ''Rolf Wohlin — inget skogsväsen i mjuka mockasiner'', Aktuell Fotografi nr 10 1979.

Wigh, Leif. ''1980-talet: Realism och/eller romantik'', Fotonyheterna nr 2 1980.

Wigh, Leif. ''Naturen i den fotografiska bilden'', Aktuell Fotografi nr 7–8 1980.

Wine, Maria. ''Lövsus i moll.'' Stockholm 1979.

Wohlin, Rolf. ''Naturen behöver inte oss . . .'' Stockholm 1978.